La grippe

Sous la supervision scientifique de
Michel Poisson, M.D., FRCP(C)

La gripe

RUDEL MÉDIAS

COLLECTION LE PETIT MÉDECIN DE POCHE
Éditrice : Danièle Rudel-Tessier
drudel@rudelmedias.ca
Directeur médical : Dr François Melançon
edito@rudelmedias.ca

Rédactrice : Dominique Picard
Superviseur scientifique : Dr Michel Poisson
Réviseur : Gilles Giraud
Mise en pages : Folio Infographie
Couverture : Josée Lalancette
Illustrations : Julien Del Busso
Photo de la couverture : SuperStock

RUDEL MÉDIAS
3651, rue Clark
Montréal (Québec)
H2X 2S1
Téléphone : 514-845-5594
info@rudelmedias.ca

Imprimé par Imprimerie Lebonfon inc.

ISBN 2-923117-15-8

Dépôt légal – Bibliothèque et Archives nationales du Québec, 2006

Mot du directeur médical

En clinique sans rendez-vous, une grande partie des visites médicales commencent par « Docteur, j'ai la grippe ». Les infections des voies respiratoires sont mal comprises. Tout devient « de la grippe » et, systématiquement, les patients nous demandent des antibiotiques pour traiter leur problème. Et ce, d'autant plus quand le spectre de la grippe aviaire pointe à l'horizon!

C'est vrai qu'il n'est pas facile de s'y retrouver. Le virus de la grippe prend plusieurs visages. Il peut être extrêmement virulent comme il peut se camoufler derrière des symptômes qui le font ressembler à un simple rhume. Selon le type, le sous-type et la souche, ses symptômes peuvent être bénins, graves ou mortels.

Pour pouvoir lutter avec les bonnes armes, il faut connaître son ennemi. Ce petit livre vous y aidera.

Bonne lecture !

Dr François Melançon
Médecin de famille

« Je ne me sens pas bien du tout... Je crois que j'ai la grippe ! » Quand les gens autour de vous se plaignent d'être grippés, il y a bien des chances pour qu'ils ne soient atteints que d'un bon rhume. Car si c'était vraiment la grippe, ils seraient plutôt au lit qu'en train de vous en parler !

La grippe est une maladie costaude. Elle vous met au tapis le temps de le dire, aussi efficacement que le coup de poing d'un boxeur ! Et elle frappe sans crier gare. Vous pourriez dire : « À trois heures moins dix hier après-midi, la grippe m'est tombée dessus ! » et ce ne serait pas une façon de parler. Tout à coup, vous voilà courbaturé, lourd et obsédé par une seule idée : plonger au plus vite dans votre lit douillet. Manger, parler, bouger deviennent des perspectives aussi invitantes qu'une promenade dans l'Arctique en maillot de bain !

Le rhume et la grippe sont des infections virales. Toutes deux sont très contagieuses. Ni l'une ni l'autre ne peut être traitée par des antibiotiques. Là s'arrête la ressemblance.

Le rhume est une maladie bénigne qui revient souvent : on dénombre 6 à 10 épisodes de rhume par an chez les enfants, de deux à quatre chez les adultes.

La grippe est une maladie sérieuse, qui peut être mortelle.

Quelles sont les différences entre la grippe et le rhume ?

Le **rhume** (appelé aussi rhinite aiguë ou coryza) est une invasion virale généralement limitée aux fosses nasales. Les symptômes apparaissent environ deux jours après qu'on a été infecté : on a la gorge qui picote, le nez qui se met à couler. Si le liquide est clair et fluide, pas de panique ! Mais s'il est épais et jaune, c'est signe d'une surinfection. On a le nez bouché, on éternue, on se mouche par moments comme si ça n'allait jamais s'arrêter ! On ne peut pas faire grand-chose contre le rhume, sauf se nettoyer le nez avec une solution saline (1/4 c. à thé de sel dans 1 tasse d'eau froide), se reposer et boire beaucoup de liquide. Le rhume nous ralentit, mais il est rare qu'il nous oblige à arrêter nos activités.

Une des distinctions majeures entre le rhume et la grippe, c'est la virulence. La **grippe** (virus *Influenza*) est une infection aiguë des voies respiratoires supérieures (nez, gorge, trachée, bronches) et parfois même des poumons, qui survient brusquement et évolue vite. Le principal symptôme est la fièvre. Elle est subite et peut monter jusqu'à 41 °C. On a des frissons, on a mal à la tête, aux muscles, aux articulations, à la gorge. On se sent faible, épuisé, on a souvent du mal à soulever la tête de l'oreiller. Il se peut que s'ajoutent de la congestion nasale, des éternuements, de la toux et, quoique plus rarement, des nausées et des vomissements. Les personnes atteintes de maladies pulmonaires ou cardiaques ressentiront des symptômes encore plus marqués.

Symptômes	Grippe	Rhume
Fièvre	Fièvre élevée (38 à 41 °C) pendant 3 à 4 jours	Rarement
Maux de tête	Souvent forts	Rarement
Douleurs et courbatures	La plupart du temps, très aiguës	Parfois, très légères
Fatigue	Oui, pendant jusqu'à 2 ou 3 semaines	Parfois, légèrement
Épuisement	Oui, pendant plusieurs jours	Non
Congestion nasale	Parfois	La plupart du temps
Éternuement	Parfois	La plupart du temps
Mal de gorge	Parfois	La plupart du temps
Toux	De légère à modérée et sèche	Courante et peut devenir grave

Pourquoi attrape-t-on si souvent la grippe ou le rhume ?

Parce que les virus qui causent la grippe et le rhume n'ont pas toujours le même visage ! Dans le cas du rhume, il s'agit de centaines de virus différents. Dans le cas de la grippe, il s'agit d'un seul virus, mais qui existe en plusieurs versions, en plusieurs souches.

Classification des souches

Alors que les scientifiques identifiaient de nouvelles souches du virus de la grippe, ils ont remarqué que certaines se ressemblaient plus que d'autres. Ils ont donc choisi de les diviser selon le schéma suivant :

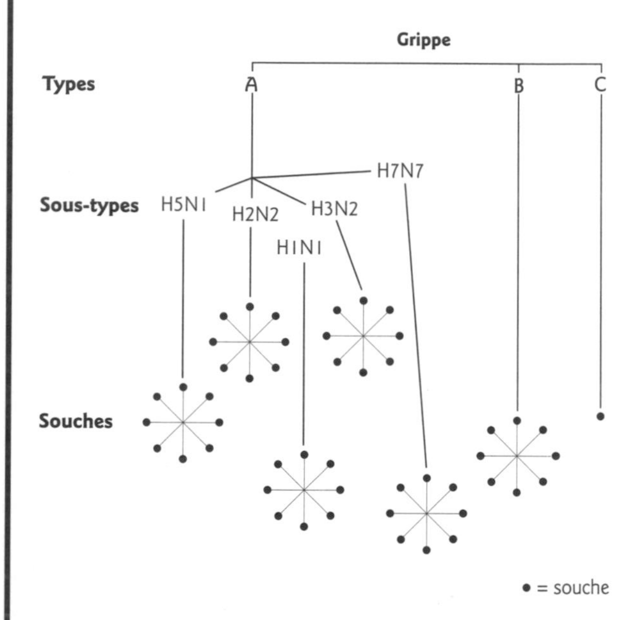

- Il existe une seule souche du type C, et aucun sous-type.
- Il n'existe pas de sous-type pour le type B, seulement des souches.
- Le type A est le seul à se diviser en sous-types qui se divisent à leur tour en souches.

N.B. : Ce schéma ne représente pas tous les sous-types du type A ni toutes les souches du type A et du type B.

Les souches du virus de la grippe sont classées en trois types : A, B et C. Le type A se divise en sous-types. Les différents sous-types A et le type B se déclinent en de nombreuses souches.

Ce sont les différentes souches des virus de type A et de type B qui sont à l'origine des épidémies annuelles de grippe. Et c'est lorsqu'une nouvelle souche d'un nouveau sous-type du virus A s'adapte à l'humain qu'une pandémie peut se déclarer. Les pandémies sont des épidémies qui se produisent partout dans le monde, simultanément sur plusieurs continents.

Ce sont les différentes souches des virus de type A et de type B qui sont à l'origine des épidémies annuelles de grippe.

Alors que les types B et C n'infectent que les humains, le type A, lui, peut s'attaquer à de nombreuses espèces, dont les oiseaux (d'où son nom de virus de la grippe aviaire).

Les symptômes sont-ils les mêmes pour les différents types de virus de la grippe ?

Oui. Seule leur intensité varie. Plus la souche du virus se reproduit efficacement, plus on est malade. Certaines souches, moins virulentes, causeront peu de fièvre et notre organisme les combattra en peu de temps. D'autres causeront une fièvre intense et nous cloueront au lit pendant plusieurs jours. Selon le type, le sous-type et la souche, les symptômes peuvent être bénins, graves ou même mortels.

Les virus pandémiques de type A sont souvent extrêmement virulents. Ils peuvent s'attaquer rapidement aux poumons et causer de l'insuffisance pulmonaire, même chez les personnes en bonne santé. Dans les cas de grippe saisonnière, seuls les gens aux prises avec des problèmes respiratoires – l'asthme, par exemple – risquent de souffrir d'insuffisance pulmonaire (*voir Le système respiratoire, page 107*).

Les symptômes associés au virus du type C sont beaucoup plus faibles et s'apparentent plus à ceux du rhume. C'est pour cette raison que le vaccin annuel est dépourvu de souche du type C.

	Type A	Type B	Type C
Symptômes graves	X	X	
Épidémies annuelles	X	X	
Pandémies	X		
Infecte les humains	X	X	X
Infecte d'autres espèces	X		
Existe en plusieurs sous-types	X		
Existe en plusieurs souches	X	X	
Fait partie du vaccin annuel	X	X	

Les sous-types du virus de type A sont-ils toujours plus virulents que ceux du type B ?

Non. Il est possible qu'une souche de type B soit plus virulente qu'une souche de type A. Par contre, aucune des souches de type B ne peut causer de pandémie, car elles se ressemblent beaucoup entre elles et notre organisme peut toujours les reconnaître.

De quoi est composé le virus de la grippe ?

On pourrait comparer le virus de la grippe à un hérisson : une boule avec des piquants.

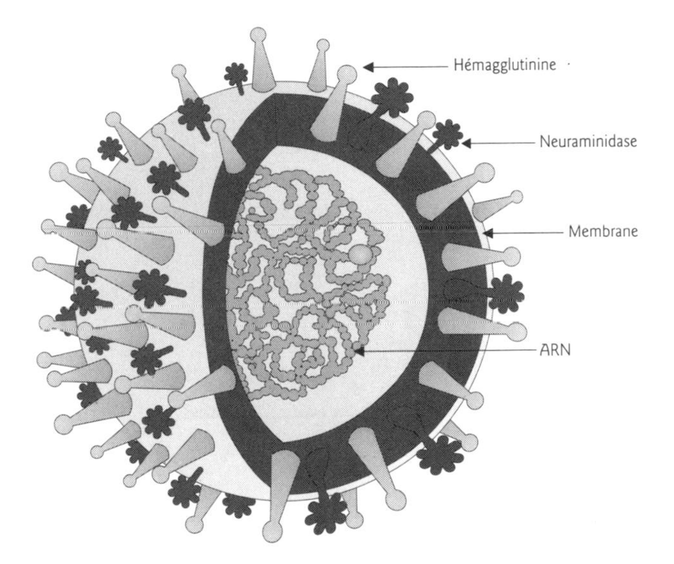

Au cœur de cette boule siège le génome, qui contient les « plans » pour concevoir d'autres exemplaires du même virus. Sur la boule, il y a une membrane, et sur cette membrane, les protéines de surface (les piquants du hérisson !). Les types A et B possèdent deux protéines de surface, l'hémagglutinine (H) et la neuraminidase (N). Le virus de type C n'en possède qu'une, qui cumule les deux rôles. Le génome des types A et B se divise en huit segments distincts, et celui du type C, en sept segments.

Qu'est-ce qu'une protéine de surface ?

Les virus de types A, B ou C (les hérissons !) transportent ainsi des protéines sur leur dos ! Pour être plus précis, ces protéines sont en partie à l'intérieur du virus, elles passent à travers sa membrane (sa « peau » !) et elles dépassent de son « dos ». Ces protéines de surface constituent, en quelque sorte, l'identité des virus. Contrairement aux protéines ordinaires, qui sont mobiles et se déplacent pour effectuer des tâches à l'intérieur du corps, les protéines de surface sont immobiles et les virus doivent les transporter pour pouvoir les utiliser.

Il existe une grande variété de protéines de surface. Leurs rôles sont aussi très variés. Par exemple, il y a des protéines de surface qui permettent à des molécules utiles, comme les glucides, d'entrer dans les cellules. Certaines servent à identifier les intrus, comme celles des cellules du système immunitaire. À la surface d'un virus, une protéine de surface peut servir à s'attacher à la cellule à infecter, comme dans le cas de l'hémagglutinine (une protéine insérée dans la cellule lui sert de récepteur). La neuraminidase, elle, est une enzyme dont le rôle est de détruire, à la surface de la cellule infectée, la protéine qui sert de récepteur au virus, c'est-à-dire qu'elle fait en sorte que les nouveaux virus fraîchement libérés ne puissent s'y agripper en quittant la cellule.

Qu'est-ce qu'une protéine ?

Les organismes vivants produisent des molécules destinées à accomplir un travail : ce sont les protéines. La protéine peut servir, par exemple, à accélérer une réaction chimique qui ne se déroulerait pas sans aide. Elle peut aussi agir comme du « ciment » pour construire une structure cellulaire. Certaines protéines sont des messagers qui circulent dans l'organisme pour livrer des messages à d'autres cellules.

La protéine se compose d'un enchaînement d'acides aminés. Les 20 mêmes acides aminés servent à fabriquer toutes les protéines. La séquence de ces acides aminés est encodée dans l'ADN des cellules. C'est à partir de ces plans que la cellule assemble les acides aminés. Les différentes parties de la protéine, avec ses acides aminés, composent une structure en trois dimensions. C'est grâce à cette structure en trois dimensions que la protéine peut jouer son rôle et être reconnue.

Les plans de fabrication de toutes les protéines humaines se trouvent dans chacune des cellules du corps humain, mais, selon leur spécialité, les cellules ne fabriquent qu'un type de protéines. Par exemple, les cellules du pancréas produisent de l'insuline, qui est une protéine messagère. Aucune autre cellule du corps ne produit cette protéine insuline, même si chacune en possède les plans.

Le cycle de la vie cellulaire

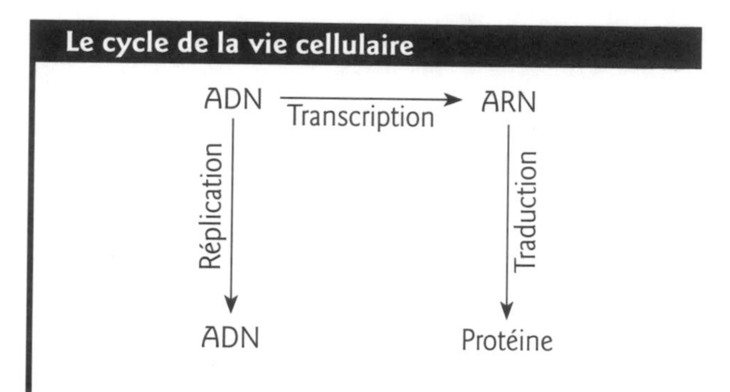

Acide désoxyribonucléique (ADN) : il compose le noyau de nos cellules. Les bases de l'ADN sont disposées de façon à contenir tout le bagage génétique, c'est-à-dire les instructions pour créer un organisme et pour le faire fonctionner.

Acide ribonucléique (ARN) : il sert d'intermédiaire entre le noyau et le cytoplasme des cellules, entre les instructions et les usines de fabrication de protéines. L'ARN est un ingénieur en protéines.

Protéines : elles ont chacune une fonction bien précise de structure, de réaction ou de messager. Les cellules fabriquent différentes protéines selon leur spécialisation (cellule du foie, cellule nerveuse, etc.).

Réplication : elle permet à un organe de croître ou de remplacer les cellules mortes. Pour que la cellule se divise, l'ADN produit une copie de lui-même pour la léguer à la cellule fille.

Transcription : elle permet de transmettre l'information nécessaire à la fabrication de protéines du noyau au cytoplasme. L'ADN est transcrit en ARN.

Traduction : c'est la dernière étape dans la production des protéines qui permettent à la cellule de jouer son rôle. L'ARN est traduit en protéine.

Que veut dire H5N1 ?

D'abord, cette dénomination nous indique que l'on a affaire à un virus de la grippe de type A puisque c'est le seul qui existe en plusieurs sous-types. Pour le type A, il existe 16 variantes connues de la protéine hémagglutinine (H) et 9 de la neuraminidase (N). Les combinaisons sont donc très nombreuses. Chaque fois qu'on identifie un nouveau sous-type, on lui attribue, pour le différencier, un « nouveau numéro » correspondant aux variantes de ses protéines.

Chaque fois qu'on identifie un nouveau sous-type, on lui attribue, pour le différencier, un « nouveau numéro » correspondant aux variantes de ses protéines.

Cela veut dire que le désormais célèbre virus H5N1 a été appelé ainsi parce qu'il possède comme protéine de surface la cinquième version connue d'hémagglutinine (H5), combinée avec la première version de neuraminidase (N1) à avoir été identifiée.

Tous les types d'hémagglutinine (H) sont adaptés aux oiseaux. Les types H1, H2 et H3 sont aussi adaptés aux humains ; H3 et H7 se sont adaptés aux chevaux ; H1 et H2 se sont également adaptés aux porcs.

Le virus de type B, qui ne possède qu'un seul sous-type d'hémagglutinine (H) et de neuraminidase (N), et le virus de type C, qui ne comporte qu'une seule protéine à sa surface, n'ont pas besoin d'être numérotés.

Qu'est-ce qui différencie les souches du virus de la grippe ?

Ce sont les protéines de surface hémagglutinine et neuraminidase qui différencient les souches de la grippe. La forme en trois dimensions des protéines est différente d'une souche à l'autre. Pour que la forme d'une protéine soit changée, il faut que la suite d'acides aminés qui la constitue soit également changée. Puisque c'est dans le génome du virus de la grippe que résident les plans pour concevoir les protéines, c'est aussi là que prennent naissance les différences entre les souches.

Les protéines de chaque souche n'ont qu'entre un et cinq acides aminés de changés. Ce qui constitue, au maximum, un changement de l'ordre de 1 %. C'est peu. Et c'est pourquoi notre organisme reconnaît parfois la structure en trois dimensions des protéines des différentes souches. Nos anticorps peuvent alors se fixer à ces protéines et les combattre. Ils reconnaissent le « visage » de l'ennemi !

Qu’est-ce qui différencie les sous-types du virus de la grippe ?

Ce sont également l’hémagglutinine et la neuraminidase qui différencient les sous-types A et le sous-type B. Exactement de la même façon que pour les différences entre les souches, des modifications dans la forme en trois dimensions des protéines découlent des modifications dans le génome du virus.

Efficacité des anticorps

C’est grâce à leur forme en trois dimensions que les anticorps reconnaissent et éliminent les virus.

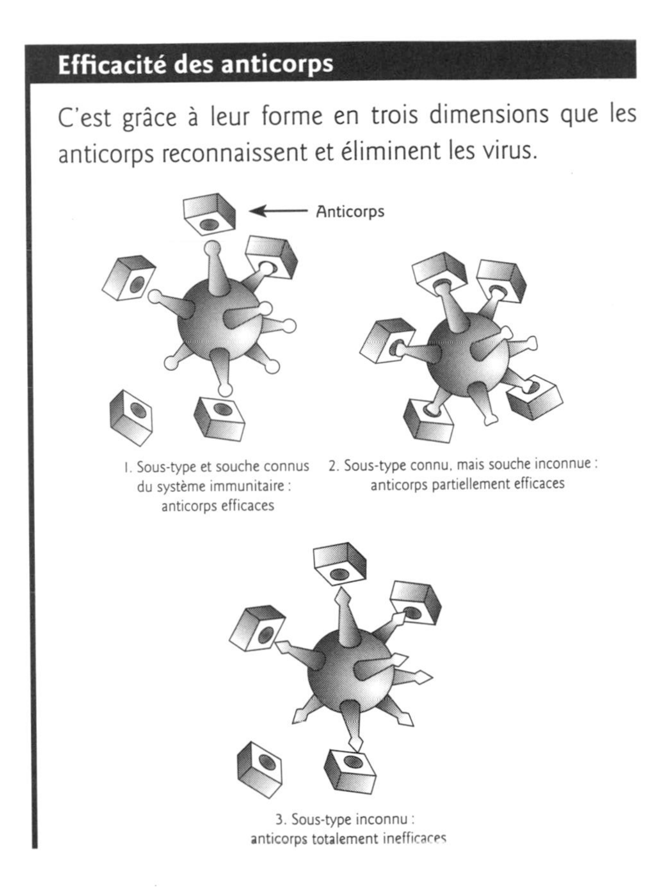

1. Sous-type et souche connus du système immunitaire : anticorps efficaces

2. Sous-type connu, mais souche inconnue : anticorps partiellement efficaces

3. Sous-type inconnu : anticorps totalement inefficaces

En revanche, les différences sont beaucoup plus marquées dans les sous-types que dans les souches. Plusieurs raisons peuvent l'expliquer. Par exemple, plus de cinq acides aminés peuvent être changés ou encore les nouveaux acides aminés peuvent être tellement différents des anciens dans leur structure moléculaire que les nouveaux liens entre les acides aminés modifient considérablement la forme des protéines de surface.

Les anticorps que nous possédons déjà n'arrivent plus à se fixer à des protéines de forme si différente. (*voir schéma page 21*). En d'autres termes, ils ne peuvent combattre le virus, car ils ne reconnaissent pas son nouveau visage.

Comment notre organisme fait-il pour reconnaître les différents sous-types et les différentes souches du virus de la grippe ?

Quand les virus circulent dans notre organisme, notre système immunitaire s'occupe d'identifier les étrangers, de distinguer le « soi » du « non-soi ». Lorsqu'il se bute à un intrus, l'organisme met immédiatement en branle ses moyens de défense. C'est par la forme des protéines de surface que l'organisme peut identifier et combattre les différentes souches de la grippe. Comme une clé entre dans une serrure, la protéine de surface du virus de la grippe s'insère dans le système d'identification du lymphocyte. Si la forme de la protéine est identique à celle du lymphocyte, la souche sera reconnue comme

Lymphocyte T identifiant le soi et le non-soi

Une cellule infectée par le virus présente des parties de virus à sa surface. Le lymphocyte T qui passe par là tente d'identifier la cellule et s'aperçoit qu'elle est infectée.

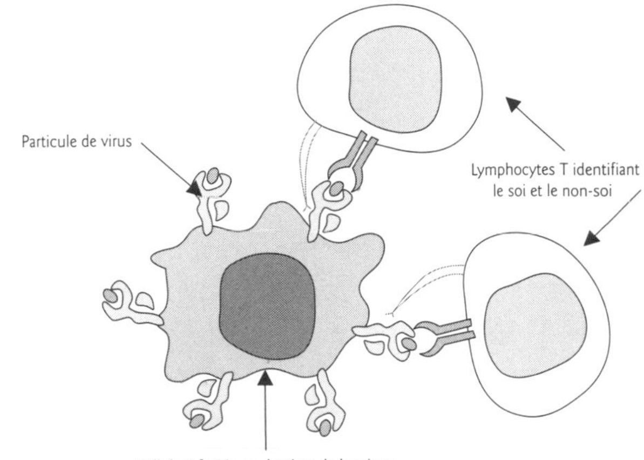

« soi ». Sinon, comme une clé insérée dans une mauvaise serrure, elle ne s'adaptera pas et sera reconnue comme « non-soi ».

Imaginez maintenant des dossiers de police avec une description détaillée du comportement de chaque criminel potentiel qui permet aux policiers de le cerner et de le mettre hors d'état de nuire. De la même façon, dès qu'un lymphocyte identifie un ennemi, il s'arrime à lui et, comme il connaît bien ses réactions, il l'enveloppe et le neutralise. Imaginez maintenant que l'un des criminels change de visage. La police saura qu'il s'agit d'un intrus, elle le reconnaîtra comme un mauvais citoyen, mais elle ne pourra pas le combattre, car elle ne sera pas en mesure de l'identifier avec certitude.

De la même façon, chaque différence fera en sorte que notre système immunitaire ne pourra reconnaître l'intrus, c'est-à-dire la nouvelle souche.

Les différentes souches de la grippe sont le résultat de transformations moins importantes que pour les sous-types, qui représentent un réel changement d'identité de l'intrus à combattre.

Chaque différence fera en sorte que notre système immunitaire ne pourra reconnaître l'intrus, c'est-à-dire la nouvelle souche.

Notre organisme peut donc reconnaître, à l'occasion, une souche qui n'est pas trop différente d'une autre avec laquelle il a déjà été en contact. Mais il se trouve toujours pris au dépourvu quand il a affaire à une souche porteuse d'un nouveau sous-type, qui diffère toujours beaucoup d'un sous-type précédent.

Reprenons l'exemple des dossiers de police. Si le criminel ne fait que se déguiser, la police pourra toujours réussir à le démasquer et à le neutraliser, mais s'il se transforme, s'il change carrément d'identité, il faudra que la police prenne le temps de se constituer un nouveau dossier avant de savoir comment le combattre et le vaincre.

Pourquoi existe-t-il plusieurs sous-types du virus de la grippe ?

Le virus de la grippe possède une grande capacité de mutation. Contrairement au génome humain, composé d'ADN, le génome du virus de la grippe est composé d'ARN. Dans les cellules humaines, l'ARN sert de messager entre l'ADN et les protéines. Les cellules n'ont pas de mécanisme servant à copier l'ARN. D'où l'obligation pour le virus, nous l'avons vu, de transporter ses protéines avec lui.

Toutefois, transporter les protéines plutôt que s'en remettre à un mécanisme intracellulaire est un processus plus ou moins précis. Ce manque de précision génère des erreurs, au hasard, qui entraînent des mutations dans le génome. Ces mutations, appelées glissements antigéniques, peuvent se produire pour les virus de type A et B. Les mutations peuvent affecter chacune des structures du virus. Elles peuvent être plus ou moins importantes et s'accumuler. Elles peuvent aller jusqu'à rendre le virus inefficace. Du simple fait qu'il possède un mécanisme de copie si peu précis, le virus court donc de grands risques.

Les mutations peuvent affecter chacune des structures du virus. Elles peuvent aller jusqu'à rendre le virus inefficace.

Il existe une autre sorte de mutation, la cassure antigénique, beaucoup plus importante celle-là, qui ne survient que pour le type de virus A. Encore une fois, cette mutation reste le fruit du hasard. Elle permet à une variation de l'hémagglutinine de s'adapter à l'humain.

Quand les mutations dans l'ADN des organismes surviennent-elles ?

Les mutations surviennent souvent pendant la multiplication, ce qui est aussi appelé la division cellulaire. Les divisions cellulaires se produisent pour plusieurs raisons. Pour les organismes unicellulaires, il s'agit de leur mode de reproduction. Les organismes multicellulaires, eux, utilisent la division pour grandir ou pour réparer des structures endommagées. Avant de se diviser, la cellule doit faire une copie de son ADN pour la léguer à la cellule fille. Pour ce faire, elle utilise plusieurs mécanismes dont la précision dépend de l'espèce et de l'individu.

Les mutations dans le bagage génétique peuvent également survenir à tous moments et être causées par des éléments externes au corps. Les rayons UV du soleil, la radioactivité, la pollution, la fumée du tabac, certains virus et même l'alimentation peuvent provoquer des mutations.

> Les rayons UV du soleil, la radioactivité, la pollution, la fumée du tabac, certains virus et même l'alimentation peuvent provoquer des mutations.

Les cellules disposent de mécanismes pour corriger les erreurs commises lors du recopiage de l'ADN et les erreurs causées par des facteurs extérieurs. Toutefois, selon le degré d'efficacité de ces mécanismes, les erreurs seront ou ne seront pas corrigées. L'effet d'une mutation peut être catastrophique (mort, cancer) comme il peut être bénéfique (évolution).

Comment le virus se reproduit-il ?

Tout seul, en dehors d'un être vivant, un virus n'est qu'un assemblage de molécules organiques inanimées. Il ne peut pas se reproduire. Pour y parvenir, il doit pénétrer dans une cellule hôte et utiliser les mécanismes de cette cellule vivante.

Quand il « squatte » une cellule de notre corps, nous sentons sa présence parce que les effets secondaires de cette invasion apparaissent assez vite : éruption cutanée, toux, écoulement nasal, larmoiement, fatigue, nausées, fièvre, douleurs musculaires et autres réactions tout aussi sympathiques !

Comment se déroule une infection à l'échelle des cellules ?

Le virus de la grippe se déplace, au hasard, jusqu'à ce qu'il trouve une cellule à infecter à l'intérieur d'un organisme vivant. C'est avec sa protéine de surface hémagglutinine que le virus s'attache à la cellule. C'est comme son crochet, si l'on veut. Ensuite, la cellule engloutit le virus.

Lorsque le virus pénètre à l'intérieur de la cellule, il se divise et commence à se reproduire en utilisant les protéines virales qu'il transporte et en profitant des outils de la cellule hôte. La cellule infectée, parce qu'elle est occupée par les besoins du virus, cesse, en grande partie, d'effectuer son rôle habituel, qui est de produire les protéines dont nous avons besoin. Apparaissent, par conséquent, les premiers symptômes...

Le virus produit plusieurs copies de son génome à l'intérieur d'une cellule. Ces copies doivent ensuite quitter la cellule et c'est en bourgeonnant qu'elles le feront : les génomes des virus sortants s'entourent d'une partie de la membrane cellulaire, qui est déjà porteuse des protéines virales (hémagglutinine et neuraminidase) dont ils ont besoin (*voir schémas, pages 29 et 30*).

Le virus produit plusieurs copies de son génome à l'intérieur d'une cellule.

Quelle est la première action du virus de la grippe ? Il s'attache à la cellule grâce à sa protéine hémagglutinine. Lorsque, après sa reproduction, le virus quitte la cellule par bourgeonnement, il pourrait encore s'attacher à la même cellule et en être prisonnier. C'est la neuraminidase qui permet au virus de bien se détacher de la cellule déjà infectée pour aller en infecter une autre.

Nous voilà donc en présence d'une énorme quantité de virus de la grippe prêts à infecter d'autres cellules et d'autres organismes.

Cycle de reproduction du virus

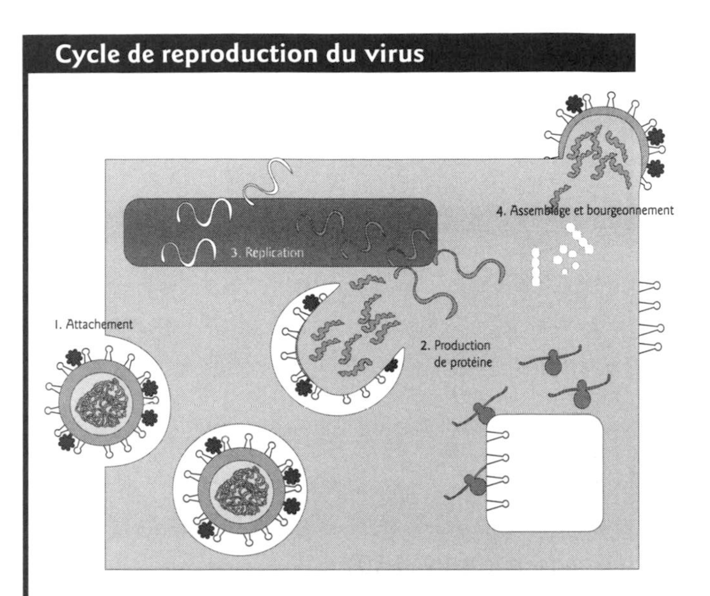

Attachement : Grâce à la protéine de surface hémagglutinine, le virus s'attache à la surface de la cellule pour se faire engloutir par elle.

Production de protéine : À partir du matériel génétique, les protéines du virus sont synthétisées par la machinerie de la cellule. Les protéines de surface se dirigent vers la membrane de la cellule.

Réplication : Le matériel génétique du virus est répliqué de nombreuses fois, comme une photocopie.

Assemblage et bourgeonnement : Les copies du matériel génétique et certaines protéines s'assemblent pour bourgeonner. Le virus quitte la cellule en conservant une partie de la membrane de la cellule.

Bourgeonnement du virus

Au début du cycle viral, l'hémagglutinine se fixe à une molécule à la surface des cellules. Comme le nouveau virus quitte la cellule avec une partie de sa membrane cellulaire, il a dû trouver un moyen pour que les hémagglutinines nouvellement formées ne s'attachent pas de nouveau à la cellule déjà infectée ou à d'autre virus, qui sont aussi entourés de membrane cellulaire. C'est la neuraminidase qui permet au nouveau virus de se détacher et de poursuivre l'infection.

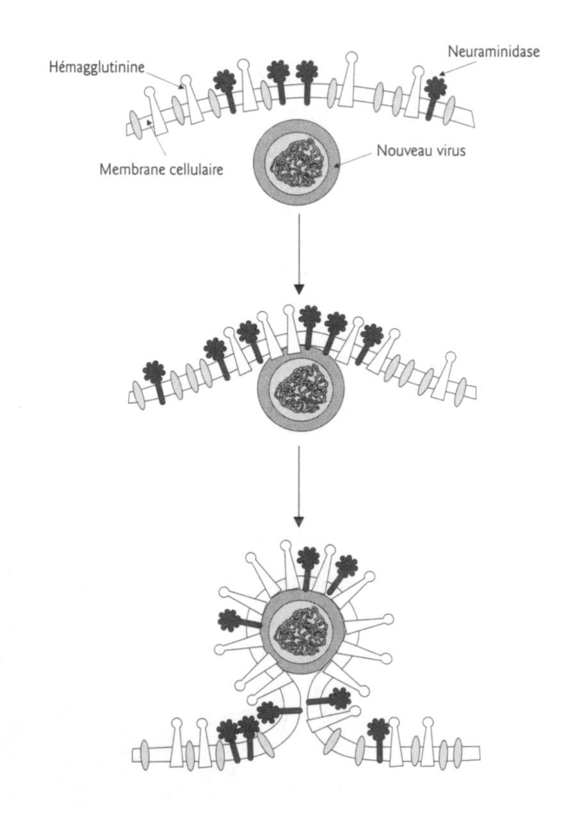

Comment se déroule une infection à l'échelle du corps ?

Pendant que le virus se reproduit dans la cellule, celle-ci ne se laisse pas faire. Elle active son système de défense : elle expose un morceau de virus à sa surface afin que le système immunitaire reconnaisse l'intrus et s'y attaque.

Ainsi, dès qu'une cellule du système immunitaire repère une cellule infectée, elle la détruit. Ces cellules tueuses, ce sont les lymphocytes T. Plus les lymphocytes T tuent de cellules de notre système respiratoire, plus nous ressentons les symptômes et plus nous sommes malades. C'est une défense efficace, mais qui n'est pas la meilleure ni la plus plaisante !

Plus les lymphocytes T tuent de cellules de notre système respiratoire, plus nous ressentons les symptômes.

Le système immunitaire a d'autres moyens de défense. Par exemple, il fait augmenter la température du corps. Cette technique a pour effet de ralentir la reproduction des virus. À partir de 37,5 °C, les virus ont beaucoup plus de difficulté à se reproduire.

Quelle est notre meilleure défense contre la grippe ?

La technique ultime du système immunitaire pour éliminer les virus consiste à fabriquer des anticorps. Ce sont les lymphocytes B qui s'en occupent. Les anticorps sont des protéines.

Notre organisme doit concevoir un nouveau lymphocyte B qui produira des anticorps spécifiques au nouvel ennemi. Il s'agit d'une technique très efficace, sauf qu'elle prend 7 à 10 jours à se mettre en place. Quelques jours pénibles durant lesquels on se traîne...

Une fois créé, le lymphocyte B spécialisé commence aussitôt à se multiplier à grande vitesse. Cette armée de lymphocytes B se met à produire et à libérer dans notre organisme une quantité extraordinaire d'anticorps spécialisés qui partent à la recherche du virus à combattre. Dès qu'ils identifient le virus qui nous rend malades, ils le rendent inopérant. À partir de ce moment, les symptômes deviennent beaucoup moins violents.

En l'espace de quelques jours, d'autres cellules du système immunitaire s'occuperont de faire disparaître tous les dégâts générés par l'infection. Les cellules du système respiratoire commenceront également à se multiplier dans le but de remplacer les cellules mortes pendant l'infection. La plupart des lymphocytes B spécialisés mourront d'épuisement tant leur travail aura été ardu !

Notre organisme en conservera néanmoins quelques-uns en mémoire. Si le même virus essaie de revenir nous rendre visite, notre système immunitaire n'aura pas besoin de fabriquer un nouveau lymphocyte B spécialisé. Ceux qui sont restés dans notre mémoire immunitaire recommenceront à fabriquer des anticorps et empêcheront l'infection de s'installer.

Comment le virus de la grippe peut-il se modifier au fil du temps ?

C'est la sélection naturelle (*voir page 35*) qui fait que le virus de la grippe se modifie au fil du temps. Comme nous l'avons vu, des mutations – soit le glissement antigénique et la cassure antigénique – se produisent au hasard. Ces mutations augmentent les chances du virus de parvenir à nous infecter.

Le mécanisme de copie qu'utilise le virus de la grippe lui a été profitable. S'il était conçu comme la plupart des virus, avec un génome à base d'ADN, la variété des mutations serait bien moindre. Le virus de la grippe ne pourrait alors nous infecter qu'une seule fois, comme les autres virus.

On peut comprendre, à partir de la théorie de la sélection naturelle, que même un mécanisme de reproduction en apparence imparfait peut être profitable. C'est le cas du virus de la grippe, qui évolue rapidement grâce à ses nombreuses mutations et qui réussit ainsi à réinfecter les mêmes personnes, déjouant à chaque fois leur système immunitaire.

Le glissement antigénique produit des virus légèrement différents. La mutation peut être minime. Dans ce cas, notre organisme pourra peut-être utiliser les anticorps spécialisés de sa mémoire immunitaire pour combattre le virus. Par contre, si la mutation est plus importante, les anticorps ne pourront plus reconnaître le virus. Nous serons donc malades le temps que notre organisme conçoive des anticorps adaptés à ce

La cassure antigénique produit des virus totalement différents.

nouveau virus. C'est le glissement antigénique qui produit les souches qui sont à l'origine des épidémies annuelles de grippe.

La cassure antigénique produit des virus totalement différents. La mutation est si importante que l'organisme ne pourra pas utiliser les anticorps de sa mémoire immunitaire. Lorsqu'un nouveau virus de ce type apparaît, une grande partie de la population est malade. Ce sont ces virus qui causent les pandémies, ces épidémies qui font le tour de la planète.

Pour qui la grippe est-elle dangereuse ?

La grippe des types A et B fait courir plus de risques aux enfants et aux personnes âgées. Les personnes de tout âge souffrant de maladies respiratoires, de diabète, de cancer, de problèmes cardiaques ou rénaux sont aussi plus à risque de mourir de la grippe ou d'une infection secondaire à la grippe (*voir page 63*).

C'est la quantité de gens pour qui la grippe est dangereuse qui fait la différence entre les épidémies saisonnières et les pandémies. Lors d'une pandémie, c'est toute la population qui devient à risque, même les jeunes adultes en bonne santé. Puisque le virus est inconnu de tous les organismes humains, beaucoup de gens tombent malades, doivent être hospitalisés et certains risquent de mourir.

La théorie de la sélection naturelle

Pourquoi les girafes ont-elles un grand cou? Non, ce n'est pas à force de s'étirer pour manger les feuilles qui se trouvent en haut des arbres!

Les modifications physiques des êtres vivants découlent de mutations dans leur bagage génétique. Ces mutations se produisent au hasard. Il s'agit souvent d'erreurs de recopiage de l'ADN. Ces mutations peuvent donner des effets positifs ou négatifs, ou encore être sans effet. Par exemple, une mutation positive permettra à certains d'être plus rapides et une mutation négative engendrera la fibrose kystique chez d'autres.

Il faut qu'il y ait une pression de l'environnement pour qu'une espèce conserve une mutation dans son bagage génétique. En d'autres termes, il faut que la différence physique qu'engendre la mutation permette à l'organisme de vivre plus longtemps, de manger convenablement et d'avoir une plus grande descendance que les autres, une série de facteurs que les organismes vivants perçoivent comme étant positifs.

Reprenons l'exemple de la girafe. À un certain moment, par hasard, une mutation est survenue dans son ADN. Résultat concret: un girafon est né un jour avec un cou plus long que celui des autres. À même époque, par un concours de circonstances, la nourriture qui se trouvait plus près du sol commença à se faire plus rare. Le girafon devenu adulte a par conséquent eu accès à plus de nourriture que les autres, son long cou lui permettant de manger le feuillage qui se trouvait en hauteur. Il est ainsi devenu plus fort et il s'est reproduit plus souvent (c'est comme ça dans la nature!). La progéniture du girafon «mutant» s'est répandue et a prospéré, tandis que les girafes au cou moins long se sont peu à peu éteintes, ne pouvant plus se nourrir convenablement ni se reproduire adéquatement. L'évolution se déroule en plusieurs étapes et sur de nombreuses générations.

Pourquoi est-il possible d'attraper plusieurs fois la grippe alors que la varicelle ne s'attrape qu'une seule fois ?

Lorsqu'un virus nous frappe, notre organisme produit habituellement les anticorps nécessaires pour le combattre durant le processus de guérison. Si c'est le même virus qui revient dans notre organisme, il n'a pas le temps de nous rendre malades : notre système immunitaire a tout ce qu'il faut pour l'éliminer avant qu'il ne cause des dégâts. Il en est ainsi pour le virus de la varicelle, qui est toujours le même : on ne peut donc attraper la maladie qu'une fois.

Le virus de la grippe, lui, existe en plusieurs versions qui se différencient d'abord par le type : A, B ou C. Le type A existe aussi en plusieurs sous-types. En fin de compte, ce sont plusieurs souches de chaque sous-type de A et du sous-type B qui peuvent nous infecter. Comme les protéines qui permettent sa reconnaissance sont configurées de façon différente chaque fois, pour notre système immunitaire il ne s'agit pas du même virus, bien que nous présentions les mêmes symptômes !

Ainsi, puisque les anticorps spécialisés que nous possédons ne sont efficaces que pour une seule forme du virus, il suffit que l'on soit contaminé par une version légèrement différente du virus pour que notre système immunitaire soit pris au dépourvu. Voilà pourquoi nous pouvons attraper la grippe plusieurs fois au cours de notre vie.

Il suffit que l'on soit contaminé par une version légèrement différente du virus pour que notre système immunitaire soit pris au dépourvu.

Pourquoi la durée d'une grippe n'est-elle pas toujours la même?

Chaque souche du virus de la grippe est différente. Par conséquent, chacune infecte notre organisme avec une efficacité variable, selon sa constitution. Une souche plus virulente est plus longue à maîtriser.

De plus, chaque individu a un système immunitaire différent. Une personne peut être génétiquement favorisée, si bien que son système immunitaire pourra éliminer l'infection plus rapidement qu'un autre. Son état de santé général pourra aussi influer sur la rapidité avec laquelle son système immunitaire combattra la grippe. C'est pourquoi il est important de toujours bien s'alimenter, de bien dormir et de faire de l'exercice régulièrement. Si ces habitudes de vie nous aident à rester en bonne santé de façon générale, elles contribuent aussi à combattre la grippe plus efficacement.

Est-ce que la grippe s'attrape à cause du froid ?

Non. Pour attraper la grippe, il faut absolument être en contact avec le virus. Si on a froid, mais qu'aucun virus ne nous infecte, on n'attrapera pas la grippe.

Si l'hiver est la saison de la grippe (et du rhume), c'est parce que les gens vivent plus rapprochés les uns des autres et qu'ils sont souvent à l'intérieur, les fenêtres fermées : le virus « papillonne » donc plus facilement d'une personne à l'autre et une plus grande quantité de virus reste au même endroit. Par ailleurs, le chauffage assèche l'air. En respirant cet air sec, nous asséchons les muqueuses de nos voies respiratoires et des voies respiratoires asséchées deviennent un milieu propice aux infections par les virus de la grippe et du rhume. C'est pourquoi il est important d'humidifier suffisamment l'air à l'intérieur des maisons et des lieux publics.

> Des voies respiratoires asséchées deviennent un milieu propice aux infections par les virus de la grippe et du rhume.

Des recherches ont quand même révélé que des gens dont les pieds avaient été exposés au froid avaient ressenti certains symptômes du rhume quelques jours plus tard. Toutefois, aucun test de dépistage n'a été effectué pour savoir si ces personnes étaient vraiment atteintes. Peut-être avaient-elles été infectées avant ou après l'exposition au froid ? De plus, ces études (ni aucune autre, d'ailleurs) n'expliquent pas comment le froid pourrait jouer un rôle dans les infections.

En conclusion, si le froid ne donne pas la grippe, c'est néanmoins ce que les médecins appellent un facteur favorisant.

Est-il possible d'attraper la grippe pendant l'été ?

Tout à fait. En revanche, il y a moins de risque d'attraper la grippe pendant l'été que pendant l'hiver, car moins de gens sont malades, l'air est plus humide et nous passons moins de temps à l'intérieur.

Combien les épidémies de grippe saisonnière font-elles de victimes ?

Selon les années, entre 5 % et 15 % de la population mondiale souffre de la grippe. Au Canada, jusqu'à 5 millions de personnes sont malades et de 4000 à 8000 personnes meurent de complications comme la pneumonie.

Qu'est-ce que la grippe aviaire ?

Tous les sous-types des virus de la grippe de type A sont appelés « aviaires » parce qu'il existe pour chacun d'eux une souche adaptée aux oiseaux, sans distinction d'espèces. Il n'est jamais question de grippe aviaire lorsqu'il s'agit des types de virus B et C puisque ces types de virus de la grippe n'infectent que les humains. Lorsqu'on entend parler de grippe aviaire, on pense toujours qu'on a affaire à une grippe potentiellement mortelle. Pourtant, toutes les grippes aviaires ne sont pas virulentes et ce ne sont pas toutes les souches du virus A qui sont pandémiques. En revanche, les pandémies sont toujours dues à une souche d'un sous-type de A.

Est-ce que les humains et les oiseaux sont malades de la même façon ?

Non. Les oiseaux sont souvent seulement porteurs du virus et dépourvus de symptômes. Cependant, lorsqu'un virus plus virulent les rend malades, ils souffrent de diarrhée et d'affections respiratoires, ils ont moins faim et pondent moins d'œufs. En présence de souches encore plus pathogènes, la totalité des poulets d'un élevage peuvent mourir en 24 ou 48 heures.

Comment un être humain peut-il être infecté par un virus de la grippe aviaire ?

Comme les sous-types aviaires de la grippe ne sont pas véritablement adaptés aux humains, il faut donc que ces derniers soient exposés à une grande quantité de virus pour être infectés. Une telle exposition nécessite un contact étroit et prolongé avec un certain nombre de volailles malades. Les personnes à risque de contracter un virus de la grippe aviaire sont les éleveurs de volailles et les gens qui achètent ou qui possèdent des volailles vivantes et malades.

Comment le virus de la grippe aviaire peut-il s'adapter à l'être humain ?

Au cours des 10 dernières années, les types H5, H7 et H9 se sont partiellement adaptés à l'être humain. C'est-à-dire que lors d'épizooties (épidémies chez les animaux) dues à ces sous-types, il est arrivé que des humains contractent le virus. En revanche, comme ces sous-types ne sont pas complètement adaptés à l'être humain, la transmission ne s'est faite que des oiseaux aux humains et pas entre humains.

Il est possible que tous les types d'hémagglutinine s'adaptent à l'humain à cause de plusieurs glissements antigéniques. Jusqu'à présent, seuls les sous-types H2N2, H3N2 et H1N1 se sont complètement adaptés à l'humain. Mais ces virus pourraient se combiner avec d'autres sous-types de virus de la grippe pour créer une toute nouvelle souche adaptée à l'humain et encore inconnue.

Comment pourrait se passer la mutation qui permettrait la transmission d'humain à humain ?

Un même organisme, que ce soit celui d'un porc ou d'un humain, peut être infecté par deux souches différentes de la grippe en même temps. Dans la cellule, les génomes des deux virus se combinent et font des échanges. On peut alors imaginer qu'un type H adapté à l'humain pourrait partager les caractéristiques qui lui permettent d'infecter les êtres humains avec un autre type H qui ne possédait pas cette caractéristique au départ. Tout serait en place pour la naissance d'un tout nouveau virus, encore inconnu de tous les organismes humains.

Par exemple, imaginons un ouvrier agricole qui entre en contact avec des oiseaux infectés. Cet ouvrier contracte le virus aviaire. En même temps, il attrape le virus de la grippe saisonnière, qui sévit dans la région où il habite. Le virus aviaire n'a pas la faculté de se transmettre d'un humain à l'autre, mais l'autre virus peut le faire. Il suffit que les deux virus entrent en contact pendant qu'un même individu les héberge et qu'ils s'échangent au hasard du matériel génétique pour que le virus

Dans la cellule, les génomes des deux virus se combinent et font des échanges.

dit aviaire se retrouve avec la faculté de se transmettre d'un être humain à l'autre.

Souvenons-nous que les échanges de matériel génétique entre virus ne sont pas systématiques, mais qu'ils relèvent du hasard. Dans le scénario que nous venons d'évoquer, les deux virus pourraient tout aussi bien se rencontrer sans s'échanger quoi que ce soit.

Pourquoi avons-nous raison d'avoir peur de la grippe aviaire ?

Parce que l'exposition des êtres humains aux différents sous-types du virus de la grippe augmente les risques que ces virus mutent et s'adaptent. Les pandémies se produisent lorsqu'un sous-type de la grippe s'adapte à l'humain. L'adaptation peut se faire progressivement, par une accumulation de petites mutations, ou rapidement, comme nous l'avons vu, par un croisement entre deux sous-types du virus de la grippe, l'un adapté à l'organisme humain et l'autre non. Plus les épizooties sont fréquentes et étendues, plus il y a de risques que des mutations surviennent et qu'une pandémie de grippe nous frappe.

La proximité entre les oiseaux, les humains et les porcs accroît les risques de cassure antigénique puisque les différentes souches de virus peuvent se rencontrer plus facilement. C'est une situation que l'on retrouve beaucoup en Asie et c'est ce qui explique que les virus mutants viennent souvent de cette région du globe.

L'adaptation des sous-types à l'humain

La proximité entre les animaux et les humains augmente les risques de croisement entre les souches des différents sous-types du type A. Deux souches de sous-types différents peuvent infecter un même organisme et fusionner pour créer une nouvelle souche d'un sous-type qui était incapable jusque-là d'infecter les humains.

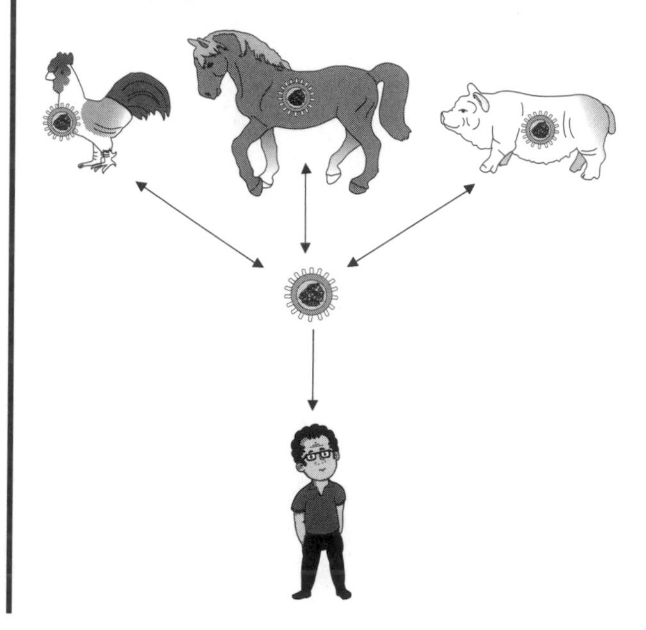

Plus les virus se propagent et infectent les oiseaux, plus le potentiel de mutation augmente. Les élevages industriels accroissent les risques d'épizooties (épidémies chez les animaux). Il arrive souvent que plusieurs grands élevages se trouvent à peu de distance l'un de l'autre, ce qui multiplie les risques de contamination. En période d'épizootie, les autorités recommandent d'abattre toutes les volailles dans un rayon de plusieurs kilomètres autour du foyer d'infection.

Les échanges commerciaux internationaux favorisent aussi la propagation des virus de la grippe partout dans le monde. Il faut constamment s'assurer de l'absence de virus hautement pathogènes dans les importations de volailles ou de produits issus de volailles.

Aucun oiseau provenant de pays ou de régions où l'on a découvert des souches pathogènes ne peut entrer au Canada.

Le Canada applique plusieurs mesures pour éviter l'entrée de souches très pathogènes du virus de la grippe de type A. Nous n'importons aucun oiseau vacciné (*voir page 77*). De même, aucun oiseau provenant de pays ou de régions où l'on a découvert des souches pathogènes ne peut entrer au Canada. Les oiseaux ne doivent pas avoir séjourné dans des régions où circulent des souches très pathogènes ni être passés par ces régions dans les 21 jours précédant l'envoi.

De plus, un vétérinaire agréé doit examiner les oiseaux dans les 24 heures qui précèdent l'envoi. Finalement, les oiseaux seront mis en quarantaine durant 30 jours en arrivant au Canada. Ils subiront un test de dépistage au 21e jour. Les pays qui veulent exporter leurs volailles au Canada doivent établir un plan de surveillance de la grippe. Ou bien le producteur doit fournir la preuve de fréquents tests de dépistage.

Pendant combien de temps une personne malade est-elle contagieuse ?

Chez les adultes, la contagion commence 24 heures avant l'apparition des symptômes et culmine pendant 1 à 3 jours. La période totale de contagion (excrétion virale) dépasse rarement 7 jours. Chez les enfants, c'est beaucoup plus long : la contagion commence 6 jours avant l'apparition des symptômes et se poursuit pendant jusqu'à 21 jours après. On sait que l'on n'est plus contagieux lorsqu'on n'a plus ni fièvre, ni toux, ni éternuements.

C'est souvent avant l'apparition des symptômes, lorsqu'on ne sait pas que l'on est atteint, que le virus se transmet : on ne se soucie pas de protéger les autres et les autres ne savent pas qu'ils sont menacés.

Comment le virus de la grippe se transmet-il d'une personne à l'autre ?

Le virus de la grippe se transmet par l'air. Par exemple, lorsqu'une personne malade éternue, elle propulse autour d'elle des gouttelettes de mucus qui contiennent le virus. N'importe qui peut aspirer ces gouttelettes sans s'en rendre compte.

Le virus peut aussi se transmettre par contact direct. Il suffit d'embrasser une personne malade ou de porter la main à sa bouche après l'avoir touchée, ou de serrer la main d'une personne atteinte et manger ensuite une pomme sans s'être lavé les mains. Bref, tout contact avec une personne malade peut nous contaminer.

L'infection peut également se transmettre par l'intermédiaire d'un objet contaminé. La personne malade touche un téléphone, un clavier d'ordinateur, un verre, une poignée de porte... Il suffit qu'on y touche ensuite, qu'on porte la main à la bouche et nous voilà infectés. Les virus peuvent être encore très actifs même après être restés pendant plusieurs jours dans un environnement à 20 °C.

Comment faire pour limiter la transmission des virus ?

Une bonne façon de limiter la transmission consiste à se faire vacciner chaque année (*voir page 68*). Ainsi, si nous entrons accidentellement en contact avec un virus de la grippe contenu dans le vaccin, nous serons protégés. Nous ne serons pas malades et nous ne transmettrons pas la maladie à d'autres.

Il faut aussi se laver les mains avec du savon et de l'eau chaude plusieurs fois par jour : avant de manger, après être allé aux toilettes ou après avoir touché une surface qui peut avoir été contaminée. Souvenez-vous que ces surfaces sont nombreuses : poignées de porte, barres de soutien dans les transports en commun, rampes d'escalier, téléphones publics ou mains que l'on serre.

Lorsqu'une personne se sait malade, elle devrait se laver les mains le plus souvent possible et systématiquement après s'être mouchée ou avoir toussé. Le port

Utiliser ses mains comme protection n'est pas une très bonne idée.

d'un masque peut être indiqué dans les cas graves.

Lorsqu'une personne malade tousse ou éternue, elle devrait se couvrir le nez et la bouche à l'aide d'un mouchoir jetable ou de son bras. Utiliser ses mains comme protection n'est pas une très bonne idée, car elles touchent à tout et sont un excellent vecteur pour les virus. Lorsqu'une personne malade se mouche, elle doit jeter son mouchoir immédiatement et se laver les mains à l'eau chaude et au savon.

On peut aussi limiter la transmission de la grippe en désinfectant périodiquement les endroits que tout le monde touche. On peut nettoyer, par exemple, les poignées de porte, les interrupteurs, les téléphones, les claviers et autres surfaces communes avec de l'eau de Javel diluée dans de l'eau.

Il est également très sage de rester à la maison lorsqu'on est malade. C'est un moyen très efficace de ne pas contaminer ses collègues de travail ou ses petits amis de la garderie. Il faudrait au moins attendre que la fièvre disparaisse et que la toux s'amenuise avant de sortir.

Attrape-t-on forcément la grippe si on habite avec quelqu'un qui en est atteint ?

Si vous avez déjà été touché par cette même souche de la grippe (c'est peut-être vous qui l'avez transmise !) qui affecte votre colocataire, vous ne serez pas malade puisque vous possédez déjà les armes spécialisées pour vous défendre. Il est impossible de se « re-passer » une grippe à soi-même.

En revanche, si vous n'avez jamais combattu la souche du virus qui affecte la personne avec qui vous habitez, vos chances de ne pas l'attraper sont plutôt minces.

La personne malade, en demeurant à la maison, la remplit de virus prêts à vous infecter. Ses mains vont toucher aux poignées de porte, aux meubles, aux serviettes, à la vaisselle, aux télécommandes... Même si vous passez des heures à essayer de tout désinfecter, des gouttelettes de mucus en suspension dans l'air pourraient toujours se déposer sur votre verre d'eau et le contaminer. Vous pourriez aussi, par mégarde, boire dans le même verre ou utiliser les mêmes couverts que la personne infectée.

Comment se laver les mains efficacement

Bien se laver les mains, même si cela semble anodin, reste un moyen très efficace de se protéger contre les infections et de diminuer la propagation des virus. En se les lavant négligemment, on peut augmenter la surface contaminée puisqu'on risque dans ce cas d'étendre les micro-organismes au lieu de les éliminer.

- Enlevez vos bagues et vos bijoux (pour éviter que des micro-organismes se logent dans des cavités).
- Mouillez entièrement vos mains avec de l'eau chaude.

- Prenez entre 1 et 3 mL de savon et faites-le bien mousser.
- Frottez-vous les mains, lavez-vous entre les doigts, puis sur les poignets et les avant-bras pendant 10 secondes.
- Nettoyez le dessous de vos ongles.
- Rincez abondamment.
- Fermez le robinet en utilisant une serviette en papier.
- Séchez vos mains à l'aide un séchoir électrique mural ou d'une serviette en papier.

Est-on forcément malade si on entre en contact avec un virus de la grippe ?

Non. Lorsque notre système immunitaire découvre un intrus, l'organisme vérifie aussitôt s'il a l'équipement nécessaire pour le combattre.

Si nous avons déjà livré combat à ce même virus auparavant, notre mémoire immunitaire a conservé le lymphocyte B spécialisé capable de produire les anticorps spécifiques à ce virus. Dans ce cas, le lymphocyte B est automatiquement réactivé : il se multiplie et produit des anticorps. Le virus est éliminé sans que nous soyons malades.

Par contre, si nous sommes en contact avec un nouveau virus, inconnu de notre système immunitaire, l'organisme n'a pas les outils spécialisés pour le combattre. Dans ce cas, le virus nous rendra malades. L'organisme prendra entre une et deux semaines pour produire des anticorps spécifiques à ce virus inconnu et pour guérir.

Les enfants attrapent plus souvent la grippe puisque leur mémoire immunitaire est encore en construction, pour ainsi dire, et qu'à la garderie ou à l'école ils sont en contact étroit avec leurs camarades. C'est pour cette raison qu'ils constituent – bien malgré eux – d'excellents vecteurs pour les différentes souches du virus de la grippe. Mais la bonne nouvelle, c'est que plus les enfants attrapent la grippe, plus ils seront protégés à l'avenir.

Les enfants attrapent plus souvent la grippe car leur mémoire immunitaire est encore en construction.

Quel est le meilleur traitement contre la grippe ?

Notre plus précieux allié pour combattre la grippe, c'est notre système immunitaire. Pour qu'il soit à son efficacité maximale, il faut lui fournir les matières premières dont il a besoin. Ce qui veut dire manger de manière équilibrée et variée pour bénéficier de tous les éléments nutritifs essentiels, comme les vitamines et les minéraux.

Il faut manger de 5 à 10 portions de fruits et de légumes par jour, consommer de façon modérée les bons gras (insaturés) et éviter les mauvais gras (saturés et trans). Les bons gras se trouvent, entre autres, dans les poissons et les huiles végétales (olive et canola). Les mauvais gras se trouvent surtout dans les aliments d'origine animale et dans les produits à base d'huile hydrogénée. On doit aussi éviter les produits contenant beaucoup de sucre et s'assurer de consommer suffisamment de protéines, de préférence celles que l'on trouve dans les produits laitiers et les viandes faibles en matières grasses, dans les légumineuses et les poissons.

Le sommeil est aussi très important.

Existe-t-il des médicaments efficaces contre la grippe ?

Les antiviraux sont efficaces pour diminuer l'intensité des symptômes et la durée de la grippe d'un jour à deux jours et demi. Pour qu'ils soient efficaces, il est important de les prendre dès les premiers symptômes ou au maximum environ 36 heures plus tard.

> Il est important de prendre les antiviraux dès les premiers symptômes.

La première génération d'antiviraux, l'amantadine (Mantadix) et la rimantadine (Flumadine), empêche la pénétration du virus de type A dans la cellule hôte. Ces deux médicaments provoquent par contre de nombreux et d'importants effets secondaires. Ils peuvent être à l'origine de problèmes rénaux, hépatiques et neurologiques. Ils peuvent rendre nerveux, insomniaque et produire, parfois, de la confusion, des hallucinations et, quoique rarement, des convulsions.

La deuxième génération d'antiviraux, le zanamivir (Relenza) et l'oseltamivir (Tamiflu), sont des inhibiteurs de la neuraminidase. Ils inhibent les virus de type A et de type B. Sans l'effet libérateur de la neuraminidase, les virus nouvellement créés se retrouvent bloqués et ne peuvent donc pas aller infecter d'autres cellules. Le zanamivir, qui est une poudre à aspirer, peut causer des problèmes respiratoires. L'oseltamivir, lui, est administré par voie orale dans une gélule ou dans un sirop. On lui associe des problèmes digestifs comme des nausées, des vomissements et des douleurs abdominales.

Il n'est pas utile de prescrire des antiviraux aux personnes souffrant d'une grippe légère. Le soulagement de symptômes déjà peu graves serait minime. En revanche, pour les personnes qui sont très malades, les antiviraux peuvent être utiles dès l'apparition des premiers symptômes.

Il n'est pas utile de prescrire des antiviraux aux personnes souffrant d'une grippe légère.

On réserve habituellement les antiviraux aux personnes à risque, c'est-à-dire à celles qui pourraient avoir de graves complications et même en mourir. Les personnes souffrant d'insuffisance respiratoire ou cardiaque et les personnes âgées sont de celles-là.

CDC/PHIL/Corbis

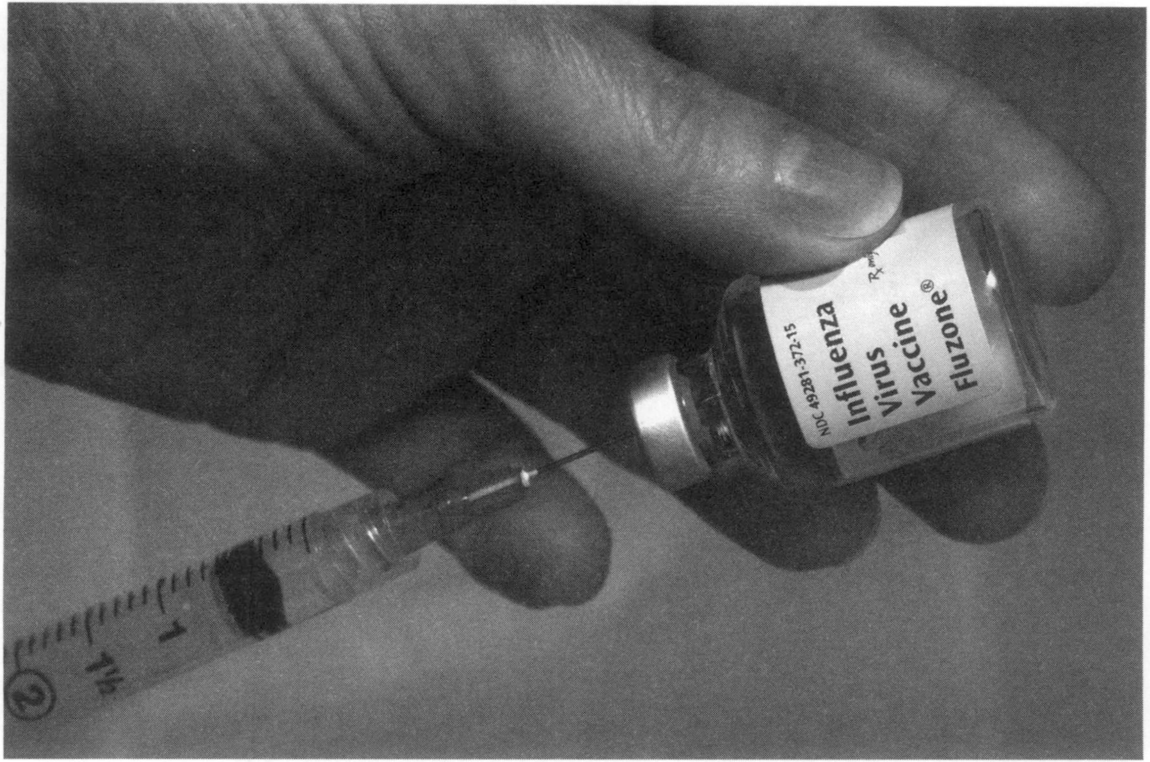

Quelle est la différence entre un médicament antiviral et un vaccin ?

Le médicament antiviral empêche le virus de se reproduire et d'infecter les cellules. Il inactive une protéine dont la fonction est essentielle à la reproduction du virus.

Le vaccin se compose de virus inactivés et permet à notre organisme de développer une immunité contre le virus (*voir page 66*). Il montre l'ennemi à notre système immunitaire afin qu'il développe des anticorps et prépare son combat. C'est comme si nous envoyions le dossier de l'intrus à la police du corps humain avant qu'il ne s'y présente !

Le vaccin empêche la maladie de s'installer, tandis que le médicament antiviral n'agit qu'une fois que la maladie est présente.

Que peut-on faire pour atténuer les symptômes de la grippe ?

Il faut boire beaucoup. Les liquides aident à éliminer le mucus. Vous pouvez boire de l'eau, des jus de fruits et du thé chaud. Pour aider votre nez à se libérer, utilisez des gouttes nasales d'eau salée. Pour soulager votre gorge, gargarisez-vous avec de l'eau salée. Les vaporisateurs pour la gorge et les pastilles (non sucrées de préférence) peuvent aider à soulager les maux de gorge.

Pour faire baisser la fièvre sans médicaments, enlevez les couches de vêtements superflues et ne surchauffez pas votre maison. Comme l'organisme tente de diminuer sa température en évaporant de l'eau par la sueur, buvez beaucoup d'eau pour éviter de vous déshydrater. Les bains tièdes peuvent aussi vous aider.

Que faut-il penser des médicaments en vente libre ?

Il est important de demander conseil à un médecin ou à un pharmacien avant d'acheter et de prendre des médicaments en vente libre pour soulager les symptômes de la grippe. Il peut être difficile de faire la différence entre ce qui convient ou non dans la panoplie de médicaments, à laquelle s'ajoutent les produits naturels et les produits homéopathiques. Il faut surtout se méfier des produits qui se vantent de prévenir ou de guérir la grippe. Il s'agit souvent de produits naturels contenant de la vitamine C, de l'échinacée ou du zinc, par exemple. L'efficacité de ces produits n'est nullement prouvée.

Des produits homéopathiques prétendent aussi guérir la grippe. L'homéopathie est une médecine douce très controversée. Elle part du principe qu'il est possible de guérir un patient s'il prend en très petite quantité un produit qui provoque chez lui les mêmes effets que la maladie. Par ailleurs, des patients différents, même s'ils souffrent de la même maladie, devraient recevoir un médicament homéopathique différent, selon leur constitution. C'est une médecine « singularisée », ou « personnalisée ». Or, les médicaments homéopathiques contre la grippe qui sont vendus en pharmacie ne peuvent respecter ce principe de base de l'homéopathie puisque ce sont les mêmes pour tout le monde.

Pour l'instant, aucune étude pharmacologique n'a prouvé que les effets de l'homéopathie sont supérieurs à ceux d'un placebo. De plus, l'absence d'explication cohérente du mode d'action des médicaments homéopathiques fait douter de la crédibilité de cette médecine et de son efficacité. Comme les médicaments homéopathiques sont très dilués et ne contiennent parfois que des ingrédients non médicinaux, ils ne peuvent pas vraiment engendrer d'effets secondaires ou de complications. Leur utilisation peut toutefois retarder la prise d'un médicament aussi efficace que nécessaire et laisser la maladie prolonger inutilement son attaque.

Le Collège des médecins du Québec suggère d'utiliser des analgésiques (acétaminophène, ibuprophène, etc.) qui soulagent les malaises et les douleurs musculaires et qui font baisser la fièvre. Retenez qu'il est contre-indiqué de donner de l'acide acétylsalicylique (aspirine) à des enfants ou à des adolescents qui sont atteints de la grippe. L'acide acétylsalicylique a été associé au syndrome de Reye (*voir page 58*).

Toujours selon le Collège des médecins du Québec, les antihistaminiques, qui soulagent efficacement les éternuements et l'écoulement nasal dus aux allergies

Si votre toux permet d'éliminer le mucus qui se loge dans les voies respiratoires, il ne faut pas la contrer.

en bloquant l'action de l'histamine sont inutiles quand ces mêmes symptômes sont dus à la grippe.

Les antitussifs peuvent aider à soulager une toux sèche, située et ressentie dans la gorge. Mais si votre toux permet d'éliminer le mucus qui se loge dans les voies respiratoires, il ne faut pas la contrer.

Les expectorants, eux, pourraient aider à liquéfier le mucus pour l'éliminer plus facilement. Par contre, leur efficacité reste incertaine et le Collège des médecins du Québec suggère plutôt de boire beaucoup d'eau.

Le syndrome de Reye ou les revers de l'aspirine chez l'enfant et l'adolescent

Le syndrome de Reye est une maladie mal connue qui affecte les enfants et les adolescents atteints d'une maladie virale, comme la grippe ou la varicelle.

On a constaté que des enfants malades qui avaient pris de l'acide acétylsalicylique (aspirine) couraient plus de risques d'être atteints de ce syndrome. Un enfant atteint du syndrome de Reye devient hyperactif, agressif, anxieux et confus. Il souffre de vomissements, de convulsions, de délire. Le volume des cellules de son cerveau augmente. Cela peut causer des lésions cérébrales permanentes et être fatal dans un cas sur quatre.

On ne sait pas pourquoi le syndrome de Reye n'affecte que les enfants et les adolescents ni la raison pour laquelle l'acide acétylsalicylique augmente les risques d'apparition de ce syndrome.

Les décongestionnants existent sous forme de vaporisateur nasal et de comprimés. L'effet décongestionnant de ces médicaments s'explique par le rétrécissement des vaisseaux sanguins que provoquent les molécules actives. Par contre, notre organisme développe rapidement une accoutumance à ces molécules. Le Collège des médecins du Québec conseille de ne pas utiliser les décongestionnants trop fréquemment ni trop longtemps: après trois jours, nous demeurerions congestionnés même si la grippe était terminée. Nous ne pourrions alors nous libérer de ces médicaments qu'avec un sevrage progressif.

En comprimés, ils peuvent causer des tremblements, des palpitations, une élévation de la pression artérielle et des troubles du sommeil.

Est-ce que la vitamine C protège de la grippe ou aide à la traiter?

Pour le moment, il n'est absolument pas prouvé qu'une certaine dose de vitamine C puisse être efficace pour prévenir ou traiter la grippe. Les études – sur des cellules ou sur des êtres humains – qui tendent à démontrer que la vitamine C pourrait aider à prévenir ou à guérir la grippe utilisent des méthodologies souvent douteuses et toujours différentes. En conséquence, les résultats ne sont pas toujours reproductibles.

Bien sûr, la vitamine C, comme toutes les autres vitamines, est utile au système immunitaire, dont elles favorisent la régulation pour qu'il soit prêt en cas d'infection. Il est donc important de consommer une grande variété de fruits et de légumes qui, tous, contiennent des vitamines.

Pour être en bonne santé, Santé Canada recommande de consommer entre 75 mg et 125 mg de vitamine C par jour selon le sexe, l'âge et selon que l'on fume ou non (les fumeurs ont besoin de plus de vitamine C). Par exemple, une orange contient en moyenne 70 mg de vitamine C. Il est donc assez facile d'obtenir son apport quotidien dans la nourriture.

Est-ce que l'échinacée protège de la grippe ou aide à la traiter?

Pour chaque étude pharmaceutique confirmant que l'échinacée protège de la grippe ou la traite, il en existe une autre pour l'infirmer. Certaines études réalisées en laboratoire mettent en évidence les effets antibactériens, antiviraux et anti-inflammatoires de l'échinacée. Mais, comme dans le cas de la vitamine C, la méthodologie des études est souvent douteuse.

> On ne sait pas encore dans quelle partie de la plante se trouveraient le ou les composés actifs.

Les produits en vente libre contenant de l'échinacée sont tout aussi douteux. Certains contiennent des extraits de la feuille, de la fleur, de la racine d'échinacée ou les trois. (On ne sait pas encore dans quelle partie de la plante se trouveraient le ou les composés actifs.) De plus, les concentrations des différents produits que l'on trouve sur le marché varient beaucoup et on ignore encore quelle serait la dose « thérapeutique ».

En découvrant quels sont le ou les composés « actifs », l'endroit où ils se trouvent dans la plante et la dose jugée efficace, peut-être pourrons-nous un jour utiliser l'échinacée pour combattre la grippe et ses symptômes.

Le Collège des médecins du Québec a publié la mise en en garde suivante : « L'échinacée fait varier l'effet des médicaments antirejet et contre le sida, de la cortisone et de ses dérivés ainsi que de certains médicaments contre le cancer. »

Que doit-on manger lorsqu'on a la grippe ?

Premièrement, il est très important de boire beaucoup. Cela aide à liquéfier le mucus dans les voies respiratoires et, par conséquent, à s'en débarrasser. Il faut boire surtout de l'eau. Le thé, les tisanes avec du citron et du miel, le lait chaud et les jus de fruits naturels conviennent aussi très bien, de même que le bouillon de poulet maison.

En revanche, on évitera le café, le chocolat chaud, les jus de fruits avec sucre ajouté, les boissons gazeuses, l'alcool ainsi que les bouillons faits à partir de poudres ou de concentrés car ils contiennent beaucoup trop de sel.

Mangez légèrement. Si vous mangez trop, toute votre énergie sera consacrée à digérer votre repas plutôt qu'à vous soigner. Contentez-vous donc de petites portions, quitte à prendre des collations de temps en temps. Évitez la nourriture trop grasse, qui est plus difficile et plus longue à digérer.

Assurez-vous de consommer suffisamment de fruits et de légumes pour obtenir toutes les vitamines dont vous avez besoin, qui sont essentielles au bon fonctionnement de votre système immunitaire et donc indispensables à votre guérison.

Par ailleurs, certaines épices favorisent la décongestion. Le raifort, la moutarde, le poivre de Cayenne, le clou de girofle, le cari, le gingembre et la cannelle aident à respirer normalement, sans prendre de médicaments.

Quand doit-on consulter un médecin ?

Il ne faut pas se précipiter chez le médecin dès les premiers symptômes de la grippe. Comme on l'a vu précédemment, le meilleur traitement contre la grippe est le système immunitaire et celui-ci prend quelques jours à devenir efficace. Si vous ne correspondez pas aux critères qui suivent, ne consultez un médecin que si votre état se détériore de façon importante.

> Vous devez consulter un médecin si vous êtes à risque de complications graves.

Vous devez consulter un médecin si vous êtes à risque de complications graves. C'est le cas des personnes qui souffrent déjà d'une maladie cardiaque ou respiratoire, ou qui ont déjà un système immunitaire affaibli. C'est également le cas des personnes âgées et des très jeunes enfants. Si vous êtes à risque et que vous avez une forte grippe, l'hospitalisation pourra être envisagée.

Consultez également un médecin si vous croyez être atteint d'une souche très virulente de la grippe. Vous êtes probablement atteint d'une telle souche si vous avez une forte fièvre (supérieure à 38 °C) depuis plus de trois jours, si vous éprouvez de la difficulté à respirer ou si vous expulsez du mucus sanguinolent en toussant. Lorsqu'une souche aussi virulente de la grippe circule, il s'agit d'un virus de type A. Le médecin pourrait vous prescrire des antiviraux.

Enfin, si vous souffrez d'une infection secondaire, il est généralement souhaitable de consulter un médecin. Ce sont des bactéries qui causent les infections secondaires et elles peuvent être traitées par des antibiotiques.

Comment savoir si on souffre d'une infection secondaire ?

Les bactéries sont opportunistes ! Elles profitent de la non-disponibilité du système immunitaire, qui est occupé à neutraliser les virus de la grippe. Elles s'installent et prolifèrent. Vous souffrez d'une infection secondaire si la fièvre réapparaît dans les 4 à 14 jours.

Si une bactérie dangereuse s'attaque aux poumons, elle causera une pneumonie. La surinfection peut également avoir lieu dans le nez, les oreilles, les sinus, le larynx et les bronches. Votre gorge peut être enflée, rouge et couverte de pus. La congestion nasale peut durer plus de 10 jours et votre mucus peut être d'une couleur jaunâtre ou verdâtre. Vous pouvez avoir une douleur au visage ou un mal de tête intense. Votre toux peut également durer plus de 10 jours, être grave et produire un mucus épais et verdâtre. Vous pouvez également ressentir une douleur à l'oreille accompagnée d'écoulement.

Peut-il y avoir d'autres complications dues à la grippe ?

Les personnes déjà malades avant d'attraper la grippe peuvent aussi voir leur état s'aggraver sérieusement. Cela est valable pour les gens qui souffrent d'insuffisance respiratoire, rénale et cardiaque, de même que pour les personnes asthmatiques ou diabétiques. Les différents symptômes aggravent l'état de santé des personnes concernées selon la pathologie préexistante. Par ailleurs, les femmes enceintes courent plus de risque de voir leur grippe s'accompagner de complications cardiorespiratoires.

Les femmes enceintes courent plus de risque de voir leur grippe s'accompagner de complications cardio-respiratoires.

Si une souche extrêmement virulente frappe, d'autres complications peuvent survenir, même chez les personnes bien portantes. En plus des symptômes normaux, ce genre de souche pourrait provoquer des lésions de l'appareil respiratoire, qui se traduiraient par de la détresse respiratoire. Peuvent également s'ajouter de l'insuffisance rénale et des problèmes cardiovasculaires. C'est ce genre de virus très virulent, de type A, qui est à l'origine d'une pandémie. Quand cela se produit, ces complications foudroyantes peuvent toucher même les personnes jeunes et en bonne santé.

Quoique beaucoup plus rarement, le virus de la grippe peut aussi s'attaquer au cerveau (méningite ou encéphalite), aux muscles (myosite) ou au cœur (péricardite ou myocardite). Des surinfections qui peuvent être graves et pour lesquelles il n'existe pas vraiment de traitements spécifiques.

Quelles sont les différences entre un virus et une bactérie ?

Les bactéries sont des particules microscopiques, mais plus grosses que les virus. Contrairement aux virus, ce sont de véritables organismes vivants autonomes.

Elles possèdent tous les mécanismes nécessaires pour se reproduire en se divisant : les composants internes de la bactérie font une copie d'eux-mêmes et la cellule mère se sépare pour produire deux cellules filles. Et ainsi de suite.

Les antibiotiques peuvent neutraliser les bactéries, tandis que les virus, eux, n'y réagissent pas. Par exemple, la pénicilline, une molécule sécrétée par une moisissure, empêche la formation d'une paroi protectrice – une peau, si l'on veut – à la surface des bactéries. Dépourvues de cette paroi, les bactéries ne peuvent pas survivre. Comme les virus ne possèdent pas cette même paroi protectrice, la pénicilline ne peut pas les détruire.

Voici des exemples de maladies causées par des virus ou des bactéries :

Maladies	Bactéries	Virus
Grippe		*Influenza*
Rhume		Groupe des rhinovirus (plus de 100 virus)
Diarrhée	*Escherichia coli*	
Herpès		*Herpes simplex*
Tuberculose	*Mycobacterium tuberculosis*	
Varicelle		Varicelle-zona
Sida		VIH

Comment fonctionne la vaccination ?

La vaccination utilise la mémoire immunitaire. Lorsqu'un intrus – un virus ou une bactérie – pénètre dans notre organisme pour une première fois, nous sommes malades – ou infectés – pendant qu'une armée de lymphocytes fabrique des armes spécialisées – des anticorps – pour lutter contre cet intrus. Si ce même intrus s'avise de revenir une deuxième fois, notre organisme pourra utiliser les cellules de sa mémoire immunitaire pour le combattre sans que nous soyons malades. L'objectif de la vaccination consiste à donner la possibilité à notre organisme de produire des anticorps et des cellules mémoires sans avoir à subir l'épreuve de la maladie.

Pour vacciner quelqu'un, il faut donc introduire dans son organisme une substance inoffensive, mais qui créera quand même une réaction immunitaire. Dans la plupart des cas, ce sont des virus inactivés par la chaleur ou par des antiseptiques (produits chimiques). Il est également possible d'utiliser des virus mutants qui ont perdu leur capacité à infecter ou des virus semblables aux virus humains, mais qui infectent seulement d'autres espèces. Une autre option consiste à isoler seulement une partie du virus – les protéines de surface, par exemple.

On utilise surtout les vaccins pour prévenir les maladies causées par les virus puisque les antibiotiques ne sont d'aucune utilité. Mais il existe aussi des vaccins pour protéger les gens contre des maladies d'origine bactérienne.

Au Québec, on vaccine la plupart des enfants pour les mettre à l'abri de maladies comme la coqueluche, la diphtérie, le tétanos, la poliomyélite, le pneumocoque, la rougeole, la rubéole et les oreillons. La durée de la protection varie d'une maladie à l'autre. Parfois, nous sommes protégés pour toute la vie, parfois pour quelques mois.

La découverte de la vaccination

C'est le médecin et naturaliste britannique Edward Jenner qui découvrit la vaccination à la fin du 18e siècle. Il réussit à vacciner les gens contre la variole en les exposant au virus de la vaccine, une maladie qui s'attaque au pis des vaches et qui est très semblable à la variole humaine. Ce n'est qu'à la fin du 19e siècle que le biologiste français Louis Pasteur découvrit et établit les principes scientifiques de la vaccination.

Qui devrait se faire vacciner contre la grippe?

Idéalement, tout le monde devrait recevoir le vaccin contre la grippe.

Idéalement, tout le monde devrait recevoir le vaccin contre la grippe. Cela dit, il est rare que les programmes gouvernementaux couvrent toute la population. On procède donc par vaccinations sélectives.

Au Québec, la vaccination est offerte gratuitement aux personnes de plus de 60 ans, aux enfants de 6 à 23 mois, à leurs parents et à toute personne vivant avec des enfants de moins de deux ans ou qui en prend soin (le personnel des garderies, par exemple), aux personnes souffrant de maladies chroniques (diabète, maladies cardiovasculaires, etc.) et qui sont donc à risque élevé de complications ainsi qu'à leur entourage.

À quel moment de l'année doit-on se faire vacciner?

Comme la saison de la grippe se déroule de novembre à mai, c'est en automne, habituellement entre la mi-octobre et le début décembre, qu'il faut se faire vacciner contre la grippe. Par contre, vous pouvez recevoir le vaccin tout au long de la saison de la grippe. Le vaccin contre la grippe est effectif deux semaines après l'administration et vous protège pendant environ six mois.

Les enfants qui se font vacciner pour la première fois devraient se faire administrer deux doses de vaccin, à un mois d'intervalle.

Au Québec, on peut obtenir toute l'information nécessaire au sujet de la campagne de vaccination gouvernementale dans les CLSC, les hôpitaux, les cliniques et les pharmacies.

Est-il utile de se faire vacciner une fois qu'on a déjà attrapé la grippe de la saison?

Bien sûr! Le vaccin contient trois souches du virus de la grippe, celles qui risquent le plus de se transmettre et d'être mortelles cette année-là. Même si vous avez déjà attrapé une grippe au début de la saison grippale, qui dit que vous êtes protégés contre les deux autres souches?

Il est vrai qu'habituellement une seule souche cause l'épidémie saisonnière de grippe. Mais, aujourd'hui, avec les voyages en avion, les souches peuvent se déplacer beaucoup plus vite. Si vous avez déjà eu la grippe de la saison, il peut être moins utile de vous faire vacciner, mais le vaccin pourra quand même vous protéger.

Par contre, le vaccin ne peut vous aider à guérir la souche grippe que vous avez déjà. Il faudra attendre que votre système immunitaire fasse le travail.

Peut-on se faire vacciner contre la grippe si on a un rhume?

Tout dépend de l'intensité des symptômes du rhume qui vous affecte et de l'urgence de vous faire vacciner. Si vous souffrez d'un gros rhume, il est préférable d'attendre quelques semaines et de vous faire vacciner lorsque vous serez guéri. Par contre, si votre rhume est léger et qu'il est urgent de vous faire vacciner, il est quand même possible de le faire. En d'autres termes, si vous avez un rhume au mois d'octobre, il est plus prudent d'attendre d'être guéri, mais si c'est au mois de décembre, lorsque la saison de la grippe est imminente, il est plus prudent de vous faire vacciner.

Si vous souffrez d'un gros rhume, il est préférable d'attendre quelques semaines et de vous faire vacciner lorsque vous serez guéri.

Pourquoi faut-il se faire vacciner contre la grippe chaque année ?

Parce que ce n'est jamais la même souche du virus de la grippe qui cause les épidémies annuelles. Il est même possible qu'il s'agisse d'un virus inconnu. De plus, les vaccins ne contiennent pas tous les virus connus. Pour des raisons de production, le vaccin annuel contient trois virus, soit deux souches de type A et une souche de type B.

Y a-t-il des contre-indications à la vaccination ?

Les personnes qui sont allergiques aux œufs ne peuvent pas être vaccinées puisque le vaccin peut contenir des traces d'œuf.

Comment fabrique-t-on les vaccins contre la grippe ?

Pour fabriquer un vaccin, on inocule des souches du virus de la grippe sélectionnées dans des œufs embryonnés. Les virus se multiplient puisque le milieu est propice. Ensuite, on isole, purifie et inactive une grande quantité de virus. On répète les mêmes opérations pour les trois souches qui seront incluses dans

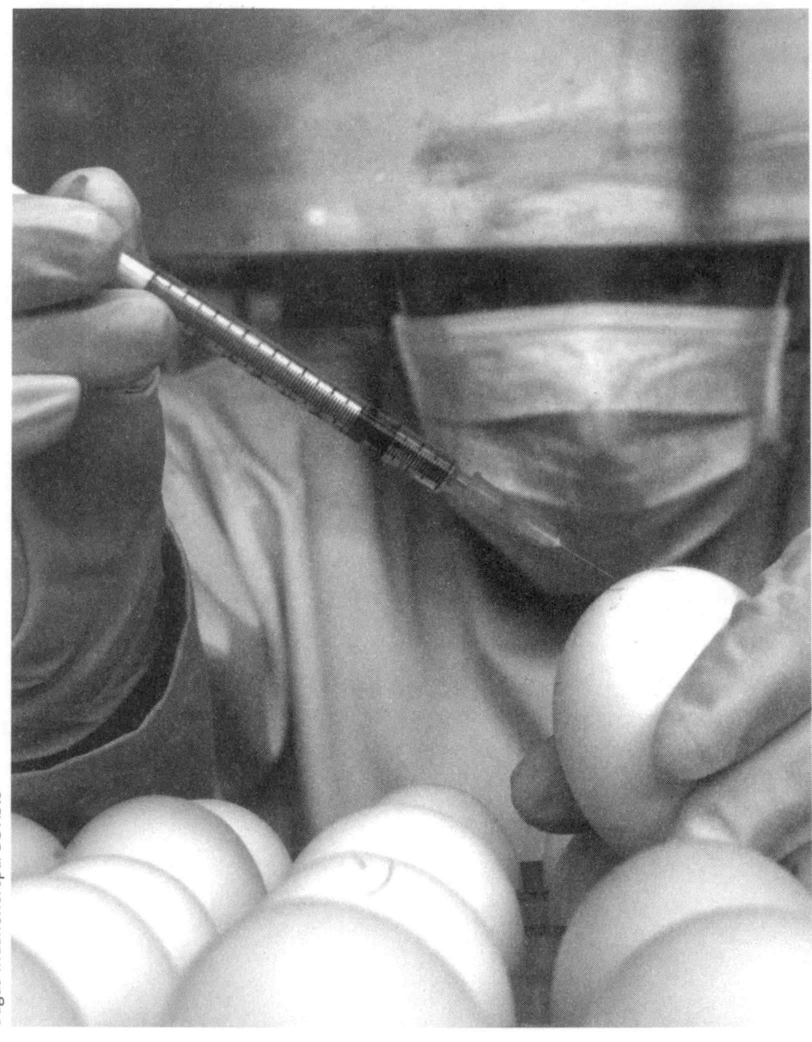

Bagus Indahono/epa/CORBIS

le vaccin. On les combine ensuite dans le vaccin. C'est une méthode longue et compliquée.

Pourquoi le vaccin contre la grippe n'est-il pas toujours efficace ?

Le taux d'efficacité du vaccin dépend d'abord de l'âge et de l'état de santé des gens. Chez les personnes âgées, il y a 60 % moins de malades parmi les vaccinés et de 70 % à 80 % moins de décès. Chez les adultes en bonne santé, la vaccination diminue de 70 % à 90 % le nombre de malades.

Chez les adultes en bonne santé, la vaccination diminue de 70 % à 90 % le nombre de malades.

De plus, le taux d'efficacité dépend de la ressemblance entre les virus composant le vaccin et les virus en circulation cette année-là. Si l'Organisation mondiale de la santé (OMS), qui choisit les souches du virus de la grippe que contiendra le vaccin, se trompe de souches et qu'une souche inconnue se propage, le vaccin sera inefficace. Si la souche qui se propage est assez semblable à l'une de celles qui sont présentes dans le vaccin, il sera efficace. C'est en raison du mode de production des vaccins (dans des œufs) qu'il est impossible de concevoir un vaccin contenant tous les virus connus de la grippe.

Comment l'OMS décide-t-elle de la composition du vaccin ?

Chaque année, au plus tard au mois de mars, l'OMS choisit les souches du virus de la grippe. Les compagnies pharmaceutiques produisent alors les vaccins qui seront prêts pour l'automne. Mais l'OMS peut se tromper ou une nouvelle souche peut émerger alors que les vaccins sont déjà fabriqués, ce qui les rendrait inutiles.

Le réseau mondial de l'OMS pour la surveillance de la grippe comprend 112 centres nationaux de la grippe dans 83 pays. Chaque centre recueille de l'information sur les virus de la grippe qui affectent les humains à un moment donné et sur les nouvelles souches susceptibles d'apparaître. À partir de cette information, l'OMS recommande de fabriquer le vaccin avec les trois souches les plus virulentes et les plus mortelles qui sont en circulation.

Peut-on attraper la grippe en se faisant vacciner?

C'est impossible, car le vaccin ne contient pas de virus actifs. Ils ont été inactivés par des produits chimiques ou sous l'effet de la chaleur. Ils sont par conséquent incapables d'infecter l'organisme et de causer la grippe.

Le vaccin contre la grippe a-t-il des effets secondaires ?

Le principal effet secondaire est une sensibilité au point d'injection. Elle peut durer quelques jours et être accompagnée d'une rougeur.

Entre 6 et 12 heures après l'injection, on peut ressentir de la fatigue, des douleurs musculaires et de la fièvre. Ces effets disparaissent au bout d'un ou deux jours. Certaines personnes auront les yeux rouges, d'autres de la toux, une respiration sifflante, des difficultés respiratoires ou mal à la gorge. Ces symptômes disparaissent au bout de 48 heures.

Entre 6 et 12 heures après l'injection, on peut ressentir de la fatigue, des douleurs musculaires et de la fièvre.

Un autre effet secondaire possible, mais très rare (un risque sur un million), est une maladie auto-immune, le syndrome de Guillain-Barré : le système immunitaire s'attaque alors au système nerveux. La durée et la gravité des symptômes sont variables. Les symptômes s'installent et évoluent jusqu'à leur maximum en quelques jours ou quelques semaines. Puis, la maladie reste stable pendant quelques semaines ou quelques mois. La période de récupération peut durer également de quelques semaines à quelques mois. La plupart des gens seront complètement rétablis, mais certaines personnes resteront toujours faibles.

Serait-il possible d'éradiquer la grippe par une vaccination à grande échelle, comme pour la variole ?

Non. Pour éradiquer un virus, il faut que, progressivement, personne ne contracte plus la maladie, tout le monde étant vacciné. Le vaccin que nous utilisons présentement contre la grippe ne contient que trois souches par année. Donc, même si on est vacciné, il est possible d'attraper la grippe, surtout si un nouveau virus commence à circuler dans la population humaine. En effet, même si nous pouvions un jour produire un vaccin contre tous les types, les sous-types et les souches de la grippe connus, de nouveaux virus pourraient quand même apparaître.

De plus, contrairement à la grippe, la variole n'affectait pas les animaux et aucun cas n'était asymptomatique. Comme la grippe de type A peut également infecter les oiseaux ainsi que différents mammifères, il faudrait tous les vacciner pour empêcher le virus de se multiplier chez les animaux !

S'il restait une souche, même une seule, elle pourrait muter et devenir virulente.

Par ailleurs, certaines souches du virus de la grippe sont tellement peu virulentes que les personnes infectées n'éprouvent pas vraiment de symptômes, ce qui empêche de savoir avec certitude si le virus est vraiment éradiqué.

Et s'il restait une souche, même une seule, elle pourrait muter et devenir virulente.

Est-ce que ce serait une bonne idée que de vacciner toutes les volailles contre les souches hautement pathogènes de la grippe ?

Même si la vaccination des volailles coûte très cher, cela semble une solution à envisager, du moins comme une solution de rechange à l'abattage. Car les éleveurs évitent parfois de signaler les oiseaux malades de peur de voir leur élevage abattu et de se retrouver par le fait même ruinés (ce ne sont pas tous les pays qui leur accordent une indemnisation).

Le problème, c'est qu'une fois qu'un poulet a été vacciné il est impossible de différencier une volaille infectée par une souche du virus d'une volaille vaccinée avec le virus inactif de cette même souche. Il devient alors beaucoup plus difficile, voire impossible, d'empêcher l'importation d'oiseaux malades. C'est d'ailleurs pourquoi certains pays, dont le Canada, refusent d'importer des volailles vaccinées.

En cas de pandémie, la population mondiale pourra-t-elle se protéger avec un vaccin ?

Pas au début de la pandémie. Si une pandémie se déclare, c'est qu'une nouvelle souche du virus se sera développée. Et, bien entendu, il est impossible de savoir d'avance comment la nouvelle souche va muter.

C'est à partir du nouveau virus que le vaccin sera produit. Lorsqu'une pandémie se déclare, il faut environ six à huit mois avant qu'on dispose du vaccin. De plus, les premières doses du nouveau vaccin seront d'abord administrées aux personnes qui fournissent des services essentiels, comme les médecins, les infirmières et les policiers, et aux personnes plus vulnérables.

Aussitôt que les stocks de vaccins augmenteront, toute la population pourra le recevoir. Mais on ne peut prévoir exactement combien de temps il faudra pour mettre le vaccin à la disposition de l'ensemble de la population. Lorsqu'il le sera, des centres de vaccination de masse seront mis sur pied.

L'OMS, les fabricants de vaccins et les organismes d'homologation se sont déjà rencontrés et entendus pour prendre des mesures qui faciliteront l'approvisionnement en vaccins : les essais cliniques se feront internationalement, l'homologation et la mise en marché seront accélérées.

Sera-t-il possible un jour de développer de nouveaux types de vaccins, plus rapides à produire ?

Oui. Les vaccins du futur seront des vaccins recombinants, dont l'ADN aura été modifié.

On fabriquera le nouveau type de vaccin à l'aide d'un virus du rhume modifié génétiquement, de telle sorte qu'il ne puisse plus causer de maladie et pour qu'il ressemble le plus possible au virus de la grippe. Pour produire une grande quantité de virus, plus besoin d'œufs embryonnés : le vaccin recombinant sera produit in vitro dans une culture cellulaire.

Non seulement sera-t-il plus facile de produire ce type de vaccin, mais les personnes allergiques aux œufs pourront également se faire vacciner. Son principal avantage sera que les gens pourront être immunisés contre plusieurs souches d'un même sous-type. On pense même que ces vaccins pourraient être conçus et produits avant même que les nouvelles souches apparaissent et causent des pandémies !

Les recherches sont toutefois trop récentes pour qu'on sache quand les tests chez l'être humain seront terminés et quand on disposera de ces nouveaux vaccins révolutionnaires.

Comment est organisé le dépistage de la grippe ?

La plupart du temps, on fait les tests de dépistage au début de la saison de la grippe. Les médecins font les prélèvements et envoient les échantillons dans les laboratoires. Quand on atteint le pic de l'activité grippale, les laboratoires, débordés, ne peuvent pas analyser tous les échantillons qu'ils reçoivent. Le médecin doit alors se fier uniquement aux symptômes pour traiter la personne malade.

Chaque semaine, le Laboratoire de santé publique du Québec (LSPQ) reçoit les résultats des tests faits par les différents laboratoires de la province. Le LSPQ

La grippe confirmée en laboratoire est une maladie à déclaration nationale obligatoire.

compile ces résultats et les transmet à l'OMS. L'Agence de santé publique du Canada (ASPC) reçoit également les résultats des tests positifs.

La grippe confirmée en laboratoire est une maladie à déclaration nationale obligatoire. L'ASPC oblige en effet les laboratoires à déclarer les cas positifs de grippe, parce que cette maladie peut avoir un impact important sur la population et parce qu'une intervention des autorités peut être nécessaire.

À l'échelle mondiale, il est encore plus important de connaître le type, le sous-type et la souche qui infectent une personne. Par exemple, lorsque cette

Qu'est-ce que l'indice d'activité grippale ?

Il s'agit d'un calcul, d'une extrapolation, qui reflète le nombre de personnes qui ont attrapé la grippe. L'indice permet d'informer la population et le personnel médical de l'évolution du degré d'activité grippale au Québec.

On calcule cet indice à partir de différentes sources de renseignements : le nombre de cas de grippe confirmés dans les laboratoires, la proportion des appels reçus à Info-Santé en rapport avec la grippe, la proportion des consultations en CLSC en rapport avec la grippe et le dénombrement des cas de grippe dans les hôpitaux et les centres d'hébergement et de soins de longue durée. Pendant la durée de la saison de la grippe, soit de novembre à mai, l'indice d'activité grippale est régulièrement mis à jour chaque semaine.

personne entre souvent en contact avec des oiseaux, il est très important de connaître le sous-type qui cause la maladie. De cette façon, il devient possible de suivre l'évolution des différents sous-types et des différentes souches, de surveiller l'émergence de nouveaux sous-types et de nouvelles souches, et de planifier les traitements de manière plus efficace. L'OMS se charge de compiler et de diffuser les résultats mondiaux de ces tests.

Est-ce que les pays sont obligés de déclarer les épizooties de grippe aviaire ?

Les 167 pays membres de l'Organisation mondiale de la santé animale (l'OIE, sigle tiré de son nom d'origine, qui était l'Office international des épizooties) doivent signaler tous les cas de grippe causés par une souche hautement pathogène du virus de la grippe. Évidemment, lorsqu'un pays déclare des cas, ses exportations de volailles deviennent dès lors très difficiles. Plusieurs pays, dont le Canada, interdisent l'importation de volailles provenant de régions où l'on a signalé des souches hautement pathogènes. Même les volailles qui n'ont fait qu'y passer ne peuvent entrer au Canada.

Pour limiter la transmission des virus, il importe que les pays avertissent la communauté internationale lorsque des souches hautement pathogènes sont détectées sur leur territoire. Bien sûr, certains pourraient être tentés de les dissimuler en raison des difficultés d'ordre économique qu'engendrerait la révélation d'une épizootie.

Comment le virus de la grippe fait-il le tour de la planète ?

Les nouvelles souches du virus de la grippe se développent habituellement en Asie. Les échanges (importations et exportations) entre les producteurs de volailles et les déplacements des voyageurs permettent au virus de voyager partout. Les oiseaux migrateurs peuvent aussi propager le virus, surtout s'il s'agit d'une souche asymptomatique pour les oiseaux sauvages.

Lorsqu'une nouvelle souche émerge en Asie, elle épargne les Amériques pendant un certain temps. Par contre, durant l'été, dans l'Arctique, les oiseaux migrateurs américains côtoient des oiseaux migrateurs d'Europe et d'Asie. Ensuite, lors de la migration d'automne, les oiseaux qui s'envolent vers l'Amérique du Sud peuvent déposer la nouvelle souche du virus chez nous, dans les élevages de volailles.

Est-il possible d'empêcher une pandémie de se produire ?

Comme les mutations de l'ADN se produisent au hasard, on a beau calculer des moyennes et faire des probabilités, il est impossible de prévoir le moment et l'endroit où les mutations auront lieu ou de les empêcher. Et ce n'est pas parce que nous limiterons ou éliminerons les situations qui augmentent les risques de mutation qu'aucune mutation n'aura lieu. Il est tout de même utile d'exercer un contrôle serré des importations et des voyageurs afin de retarder l'arrivée du virus.

Ce n'est pas parce que nous limiterons ou éliminerons les situations qui augmentent les risques de mutation qu'aucune n'aura lieu.

Sommes-nous protégés toute la vie contre une souche du virus de la grippe lorsque nous avons déjà été infectés par elle ?

Non. Il semble que la mémoire immunitaire ne conserve que pendant 60 à 70 ans le lymphocyte B qui produit les anticorps spécialisés. Pour preuve, c'est le virus H1N1 qui déclencha la pandémie de grippe espagnole de 1918 et c'est ce même virus qui frappa à nouveau lors de l'épidémie de grippe de 1977. Une personne infectée par le virus en 1918 aurait pu être infectée de nouveau en 1977.

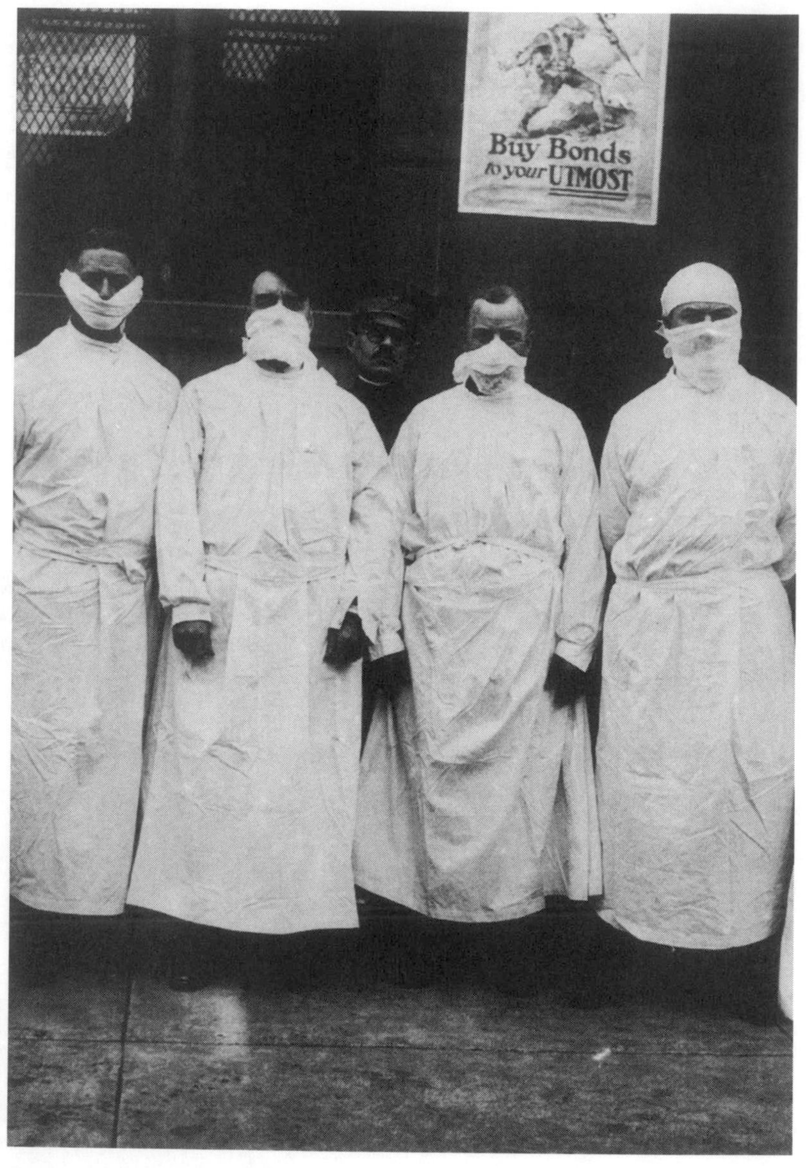

Bettmann/CORBIS

Quelles sont les grandes épidémies de grippe dans l'Histoire?

Thucyclide, dans l'*Histoire de la guerre du Péloponèse*, décrit probablement pour la première fois une épidémie de grippe. En 430 avant Jésus-Christ, pendant la guerre qui opposait Athènes à Spartes, la « peste » d'Athènes a tué des dizaines de milliers de personnes. Depuis le 16e siècle, on a répertorié plus de 30 pandémies de grippe. C'est pendant l'une de ces épidémies, en Angleterre, en 1743, qu'on nomma le virus de la grippe « influenza » pour la première fois. *Influenza* est un mot italien qui provient de l'expression *influenza di freddo*, « influence du froid ». Déjà à cette époque, on avait remarqué que la grippe était plus fréquente en hiver.

Trois pandémies ont eu lieu au 20e siècle:

- H1N1 en 1918, dite « grippe espagnole ».
- H2N2 en 1957, dite « grippe asiatique ».
- H3N2 en 1968, dite « grippe de Hong Kong ».

Combien de victimes ces pandémies ont-elles faites?

La grippe espagnole a fauché entre 20 et 40 millions de personnes dans le monde, dont de 30 000 à 50 000 Canadiens. Cette pandémie reste de loin la plus mortelle que le monde ait connue. La grippe asiatique a fait deux millions de victimes dans le monde et la grippe de Hong Kong, elle, en a fait un million.

Est-ce que de nos jours une pandémie pourrait provoquer autant de morts qu'en 1918?

C'est une possibilité. Bien sûr, lors de l'épidémie de grippe espagnole, plusieurs conditions étaient réunies pour rendre la maladie très mortelle. Hormis le fait que cette souche du virus était hautement pathogène, la Première Guerre mondiale venait tout juste de se terminer: les gens vivaient dans la promiscuité et souffraient de malnutrition, l'hygiène était déplorable et les antiviraux n'existaient pas.

Mais aujourd'hui, même si les moyens et les stratégies pour contrer une éventuelle pandémie sont beaucoup plus efficaces, les vols internationaux rendront la propagation internationale très rapide si aucune mesure n'est prise.

Il faut également être conscient que la plupart des moyens et des stratégies imaginés pour combattre la prochaine pandémie n'ont jamais été testés dans les conditions réelles et qu'il faudra sans doute les ajuster.

Au Québec, le gouvernement estime que 2,6 millions de personnes pourraient être infectées par un nouveau virus et que 8500 pourraient en mourir.

On a élaboré les plans d'urgence en posant pour hypothèse que les pandémies atteindront probablement 35 % de la population, soit environ 20 % de plus que les épidémies annuelles. Au Québec, le gouvernement estime que 2,6 millions de personnes pourraient être infectées par un nouveau virus et que 8500 pourraient en mourir.

Comment empêcher ou retarder la propagation d'une souche potentiellement pandémique ?

La première chose à faire est d'administrer des antiviraux en prophylaxie (en prévention). C'est-à-dire de donner des doses de médicaments antiviraux aux personnes qui habitent dans la zone où ont eu lieu les infections afin de prévenir la propagation. Il est probable que cette stratégie fonctionne... à condition qu'on dispose de suffisamment de médicaments pour traiter l'ensemble de la population.

Il faut aussi mettre la région en quarantaine. Si les gens ne respectent pas les restrictions à la liberté de mouvement qu'impose cette mesure extrême, la souche a plus de chance de se propager. Plus la région à contenir est vaste, plus la surveillance et la logistique exigent de grands moyens. Pour assurer le succès de cette stratégie, il faut vite identifier les premiers cas de transmission interhumaine et étudier très rapidement le virus en cause. Une bonne partie des plans d'urgence de tous les pays repose sur cette détection précoce.

Et cette détection précoce repose en grande partie sur l'aide aux pays en développement, d'où il est plus que probable que le nouveau virus émerge du fait de la proximité entre oiseaux et êtres humains. Il est primordial que ces pays réussissent à contenir la nouvelle souche le plus longtemps possible, le temps de permettre aux scientifiques de produire le vaccin approprié. Pour cela, il faut les aider à augmenter la qualité et le nombre de leurs laboratoires scientifiques, et à améliorer leurs systèmes d'information épidémiologique. Il faut créer une réserve internationale de médicaments antiviraux et partager les doses de vaccins entre les pays riches et les pays pauvres.

Les antiviraux seraient-ils suffisamment efficaces en cas de pandémie ?

En cas de pandémie, nous pourrions utiliser les antiviraux pendant une courte période, de manière préventive. Par exemple, le personnel soignant pourrait en prendre pour empêcher le virus de les infecter.

Il faut vraiment utiliser les antiviraux avec précaution puisque, un peu comme les bactéries développent des résistances aux antibiotiques, les souches du virus de la grippe peuvent développer des résistances aux antiviraux.

Lorsqu'on utilise beaucoup ou mal les antiviraux, ceux-ci créent un contexte environnemental favorable à la résistance des virus les plus robustes. En pareille situation, seuls les virus qui auraient acquis, au hasard, une résistance aux antiviraux pourraient se reproduire. Si certaines souches devenaient dès lors résistantes, les antiviraux ne seraient plus d'aucune utilité contre elles.

Est-ce que les antibiotiques pourraient être utiles en cas de pandémie ?

Pas en théorie puisque les antibiotiques ne sont efficaces que contre les bactéries et non contre les virus. Par contre, dans la pratique, il est possible que la souche pandémique ne soit pas extrêmement virulente et que les décès soient plutôt attribuables à des infections bactériennes secondaires, comme la pneumonie. Si tel est le cas, on pourra effectivement traiter les infections secondaires avec des antibiotiques et éviter par conséquent beaucoup de décès. Il faudrait donc s'assurer d'avoir aussi des réserves importantes d'antibiotiques.

Si un nouveau sous-type du virus de la grippe s'adaptait à l'être humain, est-ce qu'il y aurait automatiquement une grave pandémie ?

Non. Il arrive qu'une mutation ait lieu, qu'elle permette une certaine transmission entre humains, mais qu'elle ne permette pas l'éclosion d'une pandémie. Les membres d'une même famille pourraient attraper la maladie, mais la transmission ne dépasserait pas ce stade. Il

Si la nouvelle souche est trop ou pas assez pathogène, ou trop ou pas assez virulente, il n'y aura pas de pandémie.

faudra « attendre » qu'une nouvelle mutation ait lieu et que toutes les caractéristiques nécessaires soient réunies dans la nouvelle souche.

Aussi, si la nouvelle souche est trop ou pas assez pathogène, ou trop ou pas assez virulente, il n'y aura pas de pandémie. Plus un virus est pathogène, plus on est malade, et plus un virus est virulent, plus il a de facilité à se transmettre d'un humain à l'autre. Habituellement, plus un virus est pathogène, moins il est virulent. Pourquoi ? Parce que si nous sommes très malades, nous aurons tendance à rester à la maison pour nous reposer et nous limiterons ainsi la transmission du virus. Plus encore si le virus est tellement virulent qu'il tue rapidement son hôte ! Par contre, si nous sommes un peu moins malades, nous poursuivons nos activités et pouvons transmettre le virus à beaucoup de monde. Il n'est jamais possible de prévoir si un virus sera très virulent ou très pathogène. Il faut attendre que les mutations aient lieu.

Quelles sont les conditions nécessaires pour qu'une pandémie se déclare ?

La première de ces conditions, c'est l'apparition d'une nouvelle souche du virus de la grippe appartenant à un sous-type A nouvellement adapté à l'humain. La deuxième condition est notre vulnérabilité à cette souche : sommes-nous protégés contre elle ? Notre système immunitaire sera-t-il complètement inefficace à reconnaître la nouvelle souche ? La troisième condition est la virulence de cette souche : est-elle capable de nous rendre rapidement très malades ? La quatrième condition est la transmission efficace de personne à personne : est-ce que la nouvelle souche passe facilement d'une personne à l'autre ? Plus de conditions sont réunies, plus les risques qu'une pandémie se déclare sont élevés. Lorsque les quatre conditions sont réunies, les risques qu'une pandémie de grippe se répande deviennent extrêmement élevés.

Comment un virus peut-il disparaître pendant 60 ans et puis ressurgir ?

Il peut se cacher chez les oiseaux. Si un virus ne séjourne pas chez un hôte, s'il se trouve seul dans l'environnement, il risque d'être détruit et de disparaître. Pour « attendre » que le système immunitaire des êtres humains l'ait oublié, une souche du virus de la grippe peut infecter les populations d'oiseaux sauvages. Souvent, ces oiseaux ne sont pas malades malgré le fait qu'ils hébergent le virus de la grippe. Ils continuent donc à vivre normalement, tout en offrant un refuge au virus qui retournera dans la population humaine lorsqu'il le pourra.

Après une période d'environ 60 ans, le système immunitaire humain « oublie » qu'il a déjà combattu cette souche de la grippe. L'organisme élimine le lymphocyte B de sa mémoire. Si le virus infecte alors une personne, elle sera malade, même si elle possédait auparavant les anticorps spécifiques à cette souche pour avoir été frappée une première fois.

Pour le système immunitaire, c'est alors comme s'il s'agissait d'une nouvelle souche. Les jeunes et les personnes âgées n'ont pas ce qu'il faut pour la combattre : les jeunes parce qu'ils sont fraîchement arrivés, les personnes âgées parce que leur mémoire immunitaire a oublié.

La résurgence se fait, bien sûr, de manière progressive et peut-être en plusieurs tentatives. Par exemple, un jeune chasseur pourrait être infecté et ramener la souche à la ville, où le virus aura tout le loisir de se propager. La population sera malade si les organismes ont « oublié » comment la combattre. Sinon, le virus refera plus tard une autre tentative.

Que fait l'Organisation mondiale de la santé pour surveiller les risques d'apparition d'une pandémie de grippe ?

L'OMS a établi un système de périodes et de phases qui permet de savoir comment la pandémie se rapproche de nous. Le système comporte trois périodes : la période interpandémique (entre les pandémies), la période d'alerte pandémique et la période pandémique. L'ensemble de ces périodes se déroule en six phases.

Dans la période interpandémique, il y a deux phases. La phase 1 correspond au calme : aucun nouveau sous-type de la grippe n'infecte les humains. Pendant la phase 2, il n'y a pas encore de nouveau sous-type de la grippe qui infecte les humains, mais un certain sous-type présente un risque important de maladie chez l'être humain.

La période d'alerte pandémique correspond aux phases 3, 4 et 5, où le risque de pandémie augmente. Dans la phase 3, un nouveau sous-type de la grippe a réussi à infecter un ou plusieurs êtres humains. Par contre, la transmission entre humains ne fonctionne pas encore ou reste extrêmement rare. À la phase 4, le nouveau sous-type a réussi à passer efficacement d'un être humain à l'autre, mais l'épidémie reste limitée et très localisée. Par contre, à la phase 5, plusieurs petites épidémies dues au nouveau sous-type se produisent dans des endroits plus ou moins éloignés les uns des autres. À la phase 5, la pandémie est imminente.

La période pandémique comporte une seule phase, la dernière. Pendant cette phase 6, la transmission entre humains est soutenue : c'est la pandémie.

Aucune échelle de temps n'accompagne le système de l'OMS puisqu'il est impossible de prévoir le comportement du virus de la grippe. Les mutations se font, ne l'oublions pas, au hasard. Toutefois, la période interpandémique est probablement la plus longue et la période pandémique, la plus courte. Il est aussi probable que les phases 4 et 5 soient très rapprochées et très courtes.

Comment savoir qu'une pandémie de grippe a commencé ?

Ce sera lorsque des « grappes » de personnes souffriront du sous-type de virus nouvellement adapté sans qu'aucune d'elles ait été en contact avec des oiseaux infectés. Nous pourrons alors être sûrs que ce sont d'autres êtres humains qui auront transmis le virus. La rapidité avec laquelle l'information parviendra aux autorités du pays, à l'OMS, puis au reste du monde, dépendra de l'endroit d'où la nouvelle souche émergera. Plus le pays aura de moyens de détecter les grappes d'infection, plus nous saurons rapidement que la pandémie est commencée et les plans d'urgence pourront être mis en branle.

La rapidité avec laquelle l'information parviendra aux autorités du pays, à l'OMS, puis au reste du monde, dépendra de l'endroit d'où la nouvelle souche émergera.

Que feront les gouvernements canadien et québécois en cas de pandémie de grippe ?

Comme il est peu probable qu'une nouvelle souche du virus de la grippe se développe au Québec ou au Canada, notre principale stratégie consistera à retarder le plus possible l'entrée de la nouvelle souche au pays. Si quelques mois suffisent pour fabriquer des vaccins, nous serions donc déjà protégés lorsque la nouvelle souche réussirait à franchir la douane canadienne. En revanche, il est impossible de s'assurer que cette stratégie réussira...

Le gouvernement du Québec a donc élaboré une vingtaine de stratégies indiquant comment agir avant, pendant et après la pandémie. Cinq objectifs généraux guident chacune de ces stratégies : protéger la santé de la population, soigner les personnes, assurer le bien-être psychosocial des personnes, maintenir le fonctionnement du réseau de la santé et offrir une information claire, valide et mobilisatrice.

Les stratégies comprennent, entre autres, des mesures de surveillance épidémiologique, de prévention des infections, de communication et d'information, de maintien à domicile, de mise en place de centres non traditionnels de soins et de gestion de la main-d'œuvre et des fournitures médicales disponibles.

Par exemple, il faudra trouver une solution aux absences pour cause de maladie dans les services essentiels, comme la police et les services de santé. Certains rassemblements publics pourraient être annulés pour limiter la transmission du virus. Des hôpitaux spéciaux pourraient être créés pour limiter le contact entre malades « ordinaires » et malades de la grippe. Des guides d'autosoins pourraient être publiés et l'accès à Info-Santé pourrait être augmenté.

Dès le début d'une pandémie, on étudiera le comportement de la nouvelle souche afin de répondre à des questions-clés qui permettront ensuite de préciser les mesures à prendre (vacciner en premier les groupes

Karen Kasmauski/CORBIS

d'âge les plus touchés par le virus pourrait être l'une de ces mesures).

Comme il est impossible de tout prévoir avant que la souche ne soit découverte, on évaluera l'efficacité des stratégies au cours de la pandémie et elles pourront être ajustées afin de devenir le plus efficace possible.

Quel est le scénario le plus probable d'une pandémie ?

Un sous-type qui infecte seulement les oiseaux commence à infecter des humains dans une région du globe où animaux et humains vivent en promiscuité. Ce virus est très virulent, le taux de mortalité est très élevé. Le virus se répand dans tout le continent. Des volailles sont infectées, puis abattues. On détecte aussi des cas chez les humains, mais l'infection ne résulte que d'un contact étroit entre les oiseaux malades et les humains. Il n'y a pas, pour l'instant, de transmission entre humains.

Puis, dans un pays de ce continent où les poulets et les porcs vivent très près des humains et où surviennent de fréquentes épizooties de grippe, une nouvelle souche émerge. Cette souche se transmet facilement d'un humain à l'autre. Les premières épidémies se déclarent, de façon locale. Plus le temps passe, plus le nombre d'infections et de victimes augmente. Le virus « prend l'avion » et réussit à faire le tour de la planète en trois à six mois. Environ 35 % de la population serait alors infectée par la nouvelle souche du virus de la grippe.

Comme les mutations génétiques se produisent au hasard, il est impossible d'établir un cycle d'évolution régulier pour le virus de la grippe.

Il s'agit du scénario le plus probable. Comme les mutations génétiques se produisent au hasard, il est impossible d'établir un cycle d'évolution régulier pour le virus de la grippe. De la même façon, s'il y a plus de risques d'avoir un accident au milieu de la rue que sur le trottoir, il reste toujours possible d'être frappé par une voiture si on est sur le trottoir. De nouveaux sous-types et de nouvelles souches peuvent toujours s'adapter à l'humain selon de nombreux scénarios connus et selon d'autres auxquels nous n'avons jamais pensé. N'oublions pas que les virus sont « presque » vivants et que la vie trouve toujours un chemin pour se développer...

Quelles pourraient être les conséquences économiques d'une pandémie de grippe ?

Si une grave pandémie de grippe se déclarait, l'économie mondiale serait modifiée, car les frontières entre les pays deviendraient pratiquement infranchissables, pour les humains comme pour les produits. Les conséquences se feraient sentir en particulier chez les éleveurs, car beaucoup de gens cesseraient de consommer du poulet, des œufs ou du porc.

L'absentéisme, le manque de matières premières et la chute de la consommation risqueraient de porter un dur coup aux entreprises. Comme les gouvernements, elles devraient prévoir des plans d'urgence, des mesures qui leur permettraient de continuer à fonctionner. Elles devraient, par exemple, déterminer quels sont les employés essentiels et trouver des moyens pour les protéger, comme les encourager à travailler de chez eux.

Quelles précautions doit-on prendre si on voyage dans un pays affecté par une épizootie ?

Il faut se renseigner pour éviter soigneusement les endroits à risque. Ainsi, on passera son chemin devant toute volaille en cage ou évoluant en liberté, les marchés d'animaux vivants et les élevages de volailles. Les plus grands risques de contamination d'oiseaux à humains se présentent lors de l'abattage, du plumage, du découpage et de la préparation des volailles pour la cuisson.

Est-ce que la grippe peut infecter nos animaux domestiques ?

Oui. On a vu des chats et des chiens avoir la grippe saisonnière. Il est possible aussi que des chats attrapent la grippe aviaire en s'attaquant à des oiseaux

Même si notre chat se retrouve infecté par la grippe aviaire, il n'est pas certain qu'il nous la transmette. Tout dépend si la souche qui l'infecte est adaptée à l'humain.

malades. Le risque d'infection dépend du degré d'adaptation du sous-type du virus au chat. Moins le virus est adapté, plus le contact doit être étroit entre le chat et les oiseaux pour que le chat soit infecté. Mais même si notre chat se retrouve infecté par la grippe aviaire, il n'est pas certain qu'il nous la transmette. Tout dépend si la souche qui l'infecte est adaptée à l'humain.

Puis-je nourrir les oiseaux dans ma cour ?

Oui. Installer des mangeoires dans sa cour n'est pas dangereux. Par contre, il est important de respecter certaines règles d'hygiène. Il faut éviter de toucher à mains nues aux oiseaux et à leurs déjections. Il faut aussi porter des gants ou utiliser des sacs de plastique pour manipuler ou nettoyer les mangeoires. Il faut d'ailleurs nettoyer les mangeoires périodiquement avec de l'eau de Javel diluée.

Est-il utile de confiner les élevages d'oiseaux ?

Oui, mais ce n'est pas efficace à 100 %. Le confinement permet éventuellement de ralentir la propagation du virus, mais il ne peut l'empêcher complètement. Pour que le confinement soit efficace, il faut respecter plusieurs règles d'hygiène très strictes. Les oiseaux doivent se trouver dans des lieux clos d'où ils ne doivent jamais sortir. Tout ce qui entre doit être surveillé ou désinfecté. Ce sont des mesures très contraignantes pour les oiseaux et pour les éleveurs. D'autant plus que le virus pourrait quand même réussir à entrer dans les lieux de confinement par plusieurs moyens, comme la nourriture ou la paille.

Que faire si je trouve un oiseau mort ?

Il ne faut pas le toucher avec les mains. Doublez un sac-poubelle et utilisez-le pour saisir l'oiseau. Tournez le sac à l'envers, attachez-le et jetez-le aux ordures. Lavez-vous bien les mains. Si jamais vous trouvez plusieurs oiseaux morts, avertissez les autorités.

Est-il dangereux de chasser les oiseaux sauvages ?

Non. Évidemment, il faut prendre les mesures de prévention habituelles, comme utiliser des gants pour manipuler les oiseaux. Il faut aussi se laver les mains ainsi que les instruments et les surfaces avec lesquelles les oiseaux ont été en contact. Il faut ensuite conserver la viande à 4 °C ou moins et la faire cuire à plus de 70 °C pour éliminer les virus qu'elle pourrait contenir.

Est-ce qu'il est dangereux de manger du poulet, des œufs ou du porc ?

Que l'on soit dans un pays où sévit une souche pathogène ou que l'on mange un aliment qui en provient, il suffit de faire bien cuire ses aliments pour ne courir aucun risque. À 70 °C, le virus de la grippe est détruit.

Il faut toutefois respecter les règles d'hygiène de base (*voir page 103*), comme éviter les contacts entre aliments crus et aliments cuits, pour éviter que les aliments crus ne contaminent les cuits. Pensez aussi aux contacts indirects sur les plans de travail et les ustensiles. Certaines préparations contiennent des œufs crus, comme la mayonnaise. Il vaut mieux s'abstenir d'en manger si les œufs proviennent d'une région où se trouvent des souches hautement pathogènes. Et si vous préparez un gâteau avec des œufs, évitez de lécher la cuillère !

Les règles d'hygiène de base

L'OMS suggère de respecter cinq principes d'hygiène de base pour s'assurer de consommer des aliments sûrs.

- La propreté : ce sont souvent les mains, les ustensiles, les torchons et les planches à découper qui servent de véhicule aux micro-organismes dangereux. Lavez-vous les mains avant de commencer à faire à manger et lavez-les souvent pendant. Lavez et désinfectez les surfaces et le matériel qui ont été en contact avec les aliments.
- La séparation des aliments crus et des aliments cuits : les aliments crus, comme la viande, peuvent contenir des micro-organismes qui pourraient contaminer les aliments cuits. Séparez la viande, la volaille et le poisson crus des autres aliments. Utilisez pour les aliments cuits d'autres ustensiles que ceux que vous venez juste d'utiliser pour des aliments crus. Conservez les aliments crus, comme la viande, dans des contenants fermés.
- La cuisson à 70 °C des aliments : à cette température, les micro-organismes dangereux meurent. Faites bien cuire les aliments, surtout la viande, la volaille et les œufs. Faites bien réchauffer les aliments déjà cuits.
- La conservation des aliments à moins de 5 °C : en dessous de cette température, ou en dessus de 60 °C, les micro-organismes n'arrivent plus à se multiplier. Ne laissez pas les aliments cuits à la température ambiante plus de deux heures. Maintenez les aliments cuits à plus de 60 °C, jusqu'au moment de servir. Ne

conservez pas les aliments trop longtemps, même au réfrigérateur. Ne décongelez pas les aliments à la température ambiante.

- L'utilisation d'eau et de produits sûrs : les produits bruts peuvent aussi contenir des micro-organismes. Assurez-vous que votre eau est saine. Choisissez des aliments frais et sains. Choisissez des aliments traités pour limiter la prolifération des micro-organismes (pasteurisation). Lavez bien vos fruits et vos légumes. N'utilisez pas d'aliments dont la date de péremption est dépassée.

QUIZ

1. Je suis en bonne santé, donc je n'attraperai pas la grippe.

❑ Vrai
❑ Faux

2. Le vaccin contre la grippe peut donner la grippe.

❑ Vrai
❑ Faux

3. Les personnes âgées sont les seules à devoir se faire vacciner contre la grippe.

❑ Vrai
❑ Faux

4. J'ai été vacciné l'an dernier, je n'ai donc pas besoin de me faire vacciner cette année.

❑ Vrai
❑ Faux

5. Aucun médicament ne permet de guérir la grippe.

❑ Vrai
❑ Faux

6. Il est impossible d'empêcher une pandémie de se produire.

❑ Vrai
❑ Faux

7. Si je n'ai plus de fièvre, de toux et d'éternuements, je ne suis plus contagieux.

❑ Vrai
❑ Faux

8. Est-il vrai que lorsqu'une grippe dure plus de sept jours, on peut prendre des antibiotiques?

❑ Vrai
❑ Faux

9. Si je vais dehors sans être suffisamment habillé, je vais attraper la grippe.

❑ Vrai
❑ Faux

10. Les personnes jeunes et en bonne santé ne risquent pas de mourir de la grippe.

❑ Vrai
❑ Faux

Réponses page 135

Le système respiratoire

Le système respiratoire est le lieu où le corps capte l'oxygène de l'air et où il rejette le gaz carbonique. Cette opération est essentielle à la vie. Une concentration de gaz carbonique trop élevée dans le sang peut causer un empoisonnement. Et sans oxygène, le corps ne survit que quelques minutes.

Le gaz carbonique est un déchet métabolique que les cellules produisent lorsqu'elles brûlent des sucres. L'oxygène est l'un des ingrédients de base dans la fabrication d'énergie à partir des sucres. L'opération par laquelle la cellule transforme le sucre en énergie se nomme la combustion. Il s'agit du même type de combustion qui se déroule dans un feu. De la matière

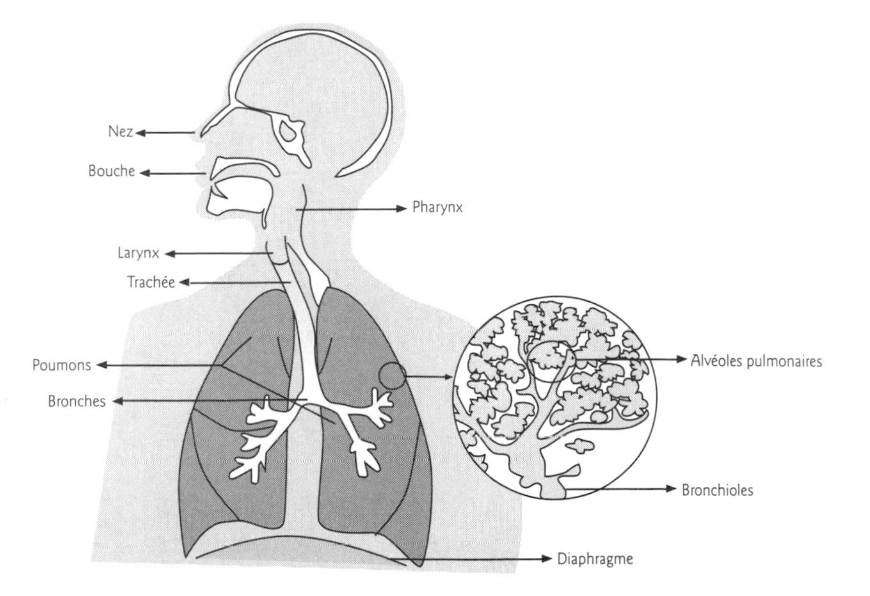

organique est « brûlée » grâce à l'oxygène et les produits résultants sont de l'énergie, de l'eau et du gaz carbonique. Dans un feu, l'énergie est relâchée sous forme de chaleur et de lumière. Dans le corps, l'énergie est stockée sous forme de liens chimiques. Cette énergie peut être ensuite utilisée par tous les systèmes de la cellule.

Comme la combustion se déroule dans toutes les cellules du corps, il faut trouver une façon d'acheminer l'oxygène aux cellules et de récupérer le gaz carbonique. Ce sont les globules rouges qui ont cette fonction. L'hémoglobine est une des protéines produites par les globules rouges. C'est elle, en association avec du fer, qui permet de fixer les molécules de gaz sur les globules rouges. Ensuite, le sang permet aux globules rouges de circuler et c'est le cœur, en battant, qui pousse le sang dans les artères.

Le système respiratoire humain est très évolué. Sa structure augmente la surface de contact entre le sang et l'air, ce qui facilite les échanges. Si on étalait les poumons d'une personne sur le sol, ils couvriraient la moitié d'un terrain de tennis ! Le système respiratoire est composé du nez et de la bouche, de la trachée, des bronches et des poumons. Comme les poumons sont exposés à l'environnement extérieur à notre corps, le système respiratoire doit aussi se protéger contre les intrus.

L'air entre par le nez et la bouche. Ces organes ont pour fonction de préparer l'air à son arrivée dans les poumons. Ils le réchauffent et l'humidifient. Le nez, en particulier, empêche de grosses particules, comme la poussière ou le pollen, de pénétrer dans les poumons.

C'est grâce aux vibrisses, des poils courts et épais, que le nez réussit à accomplir cette tâche.

Le larynx et le pharynx se situent côte à côte dans la gorge. Le pharynx relie le nez et la bouche au larynx pour la respiration et la bouche à l'œsophage pour la nutrition. Dans le larynx se trouve une structure appelée «épiglotte» qui joue le rôle de barrière. En se fermant lors de la déglutition, l'épiglotte empêche la nourriture de se rendre dans les poumons. Le larynx contient également les cordes vocales, qui permettent de parler.

Dans la trachée se trouvent aussi des sortes de cils qui bloquent le passage des intrus. La trachée est un tube qui permet le passage de l'air entre le larynx et deux tubes plus petits, les bronches, qui apportent finalement l'air aux poumons.

C'est véritablement dans les poumons que se fait la respiration. Les poumons se situent dans la cage thoracique. Ils sont attachés aux côtes et ils sont soutenus en dessous par un muscle, le diaphragme. Les poumons ne sont pas parfaitement symétriques. Le côté droit comprend trois lobes, alors que le côté gauche n'en comprend que deux. C'est pour laisser de la place pour le cœur que le poumon gauche a un lobe en moins.

Les poumons ressemblent à une grosse éponge élastique. Ils sont composés des bronchioles et des alvéoles pulmonaires. Les bronches se divisent en bronchioles. Les bronchioles seraient l'équivalent des petites branches d'un arbre, tandis que les alvéoles pulmonaires seraient l'équivalent des feuilles. Les parois des alvéoles pulmonaires ressemblent à un tissu très fin, un genre de filtre, qui laisse passer l'air, mais pas le sang. Les alvéoles sont en forme de sac. Lorsque l'air emplit ce sac, celui-ci se gonfle et l'oxygène en traverse la paroi pour se rendre dans le sang, mais le sang demeure à l'intérieur du corps. Plusieurs millions d'alvéoles pulmonaires permettent aux globules rouges du sang de relâcher le gaz carbonique et de faire le plein d'oxygène.

C'est grâce au diaphragme que l'air entre dans les poumons. Ce muscle ressemble à une crêpe et il se situe en dessous des poumons. Premièrement, le cerveau régule la respiration, qui sera régulière au repos et plus intense pendant une activité physique. Lorsqu'il faut inspirer, le diaphragme se contracte et s'aplatit vers le bas, ce qui a pour effet d'augmenter le volume de la cage thoracique. Comme la pression devient plus faible à l'intérieur des poumons, l'air entre automatiquement pour combler le vide. Lorsque l'air est à l'intérieur, les échanges gazeux se font entre l'oxygène et le gaz carbonique. Par la suite, le diaphragme se relâche et reprend sa position, et l'air est évacué avec le gaz carbonique.

En faisant entrer de l'air à l'intérieur de notre corps, on court de grands risques d'être contaminé. Notre système respiratoire a développé une quantité impressionnante de moyens de défense pour nous protéger. Par exemple, le mucus et les poils permettent de bloquer les intrus. Par contre, certains ennemis réussissent quand même à nous atteindre. Les plus dangereux sont les virus et les bactéries, les polluants atmosphériques, la fumée du tabac et les polluants industriels.

Lexique

Acide aminé

Molécule organique entrant dans la composition des protéines. Il en existe environ 80, dont 20 qui se retrouvent dans les protéines naturelles produites par les organismes vivants et 8 ou 9 qui sont essentielles.

ADN

Acide désoxyribonucléique, constituant essentiel des chromosomes, support matériel de l'hérédité.

ARN

Acide ribonucléique. Il sert d'intermédiaire entre le noyau et le cytoplasme des cellules, entre les instructions et les usines de fabrication de protéines.

Analgésique

Médicament qui produit l'analgésie, c'est-à-dire la disparition de la sensibilité à la douleur.

Antibactérien

Produit nocif pour les bactéries, qui permet de les éliminer.

Antibiotique

Substance capable d'empêcher la multiplication de certaines bactéries ou de les détruire en bloquant l'activité chimique à l'intérieur de ces bactéries.

Anticorps

Protéine produite par les lymphocytes B en réponse à l'introduction dans l'organisme d'un antigène particulier et capable de se combiner avec cet antigène pour le neutraliser.

Antigène

Toute substance capable de déclencher une réponse immunitaire (virus, bactérie, pollen, etc.).

Antihistaminique

Médicament qui s'oppose aux effets de l'histamine et que l'on emploie principalement dans le traitement des allergies.

Anti-inflammatoire

Toute substance qui atténue ou supprime l'inflammation.

Antiseptique

Toute substance qui permet de désinfecter ou de stériliser par la destruction des germes pathogènes.

Antitussif

Médicament qui supprime le réflexe de la toux.

Antiviraux

Médicaments qui combattent un virus en inhibant son entrée dans une cellule ou sa multiplication intracellulaire dans l'organisme qu'il a infecté.

Asymptomatique

Se dit d'une maladie qui n'entraîne pas de symptômes.

Auto-immune (maladie)

Maladie causée par la production d'anticorps élaborés par un organisme en réponse à un antigène provenant de lui-même. En d'autres termes, le système immunitaire d'une personne s'attaque à cette même personne.

Aviaire

Qui concerne ou qui caractérise les oiseaux.

Bactérie

Micro-organisme unicellulaire constitué d'un seul chromosome libre dans le cytoplasme, d'une membrane doublée d'une paroi rigide et qui se reproduit par simple division.

Bénin

Se dit d'une maladie ou de symptômes sans gravité. Qui n'est ni malin ni récurrent ; qui ne met en danger ni la vie ni la santé.

Carence

Absence totale ou partielle d'un ou de plusieurs éléments indispensables à la nutrition des tissus d'un organisme vivant.

Casse-grippe

Se dit d'un médicament qui prétend guérir la grippe.

Cassure antigénique

Mutation génétique majeure qui permet à un sous-type A de la grippe de s'adapter pour infecter les humains. Les cassures antigéniques sont à l'origine des pandémies de grippe.

Cellule

Élément fonctionnel et individuel des êtres vivants végétaux ou animaux limité par une membrane cellulaire.

Collagène

Protéine très abondante qui donne au corps sa forme et son élasticité.

Complication

Maladie qui vient aggraver une première maladie en cours d'évolution.

Composé actif

Molécule qui est impliquée dans l'action d'un médicament sur le corps.

Confinement

Isolement pour des raisons de santé ; pour protéger les organismes confinés ou le reste de la population.

Contamination

Présence d'un micro-organisme dans une enceinte réputée stérile ou transmission d'un micro-organisme causant une maladie contagieuse.

Coqueluche

Maladie infectieuse aiguë, épidémique et contagieuse due à la bactérie *Bordetella pertussis*, caractérisée par des quintes de toux et, chez le nourrisson, des vomissements. La coqueluche affecte surtout les enfants de moins de cinq ans. Toutefois, grâce à la vaccination, elle se raréfie.

Croisement

Mélange de caractéristiques génétiques.

Cytoplasme

Constituant interne de la cellule vivante, contenu dans la membrane. Il contient tout ce dont la cellule a besoin pour jouer son rôle, à l'exclusion du noyau.

Date de péremption

Date limite de conservation d'un produit.

Déchet métabolique

Produit résultant d'une réaction chimique qui a lieu dans un organisme vivant. Comme le produit est toxique pour l'organisme vivant, il doit être éliminé.

Décongestionnant

Qualifie ou désigne un médicament qui diminue la congestion nasale, par exemple. Il permet la plupart du temps de mieux respirer.

Déglutition

Action d'avaler, de faire passer un aliment de la bouche dans l'œsophage en passant par le pharynx.

Dépistage

Recherche, chez un patient ou dans la collectivité apparemment en bonne santé, d'une affection ou d'une anomalie latente, jusque-là passée inaperçue.

Désinfecter

Tuer ou empêcher la croissance des microbes dans un lieu, sur un objet ou sur la surface externe du corps humain.

Détresse respiratoire

Mauvais fonctionnement du système respiratoire. Comme la respiration est essentielle à la vie, une détresse respiratoire peut être très grave.

Diphtérie

Maladie infectieuse provoquée par la bactérie *Corynebacterium diphteriae*, qui infecte surtout le pharynx et le larynx. La bactérie produit une toxine qui circule dans le sang et attaque le cœur. On la prévient par un vaccin qui doit être administré aux très jeunes enfants et être suivi de rappels.

Dose

Quantité de médicament qui doit être administrée pour produire un effet déterminé.

Échinacée

Plante vivace, poussant dans les prairies sèches, les collines pierreuses et les bois clairs de l'Amérique du Nord, caractérisée par des fleurs pourpres, rouges, roses ou blanches, à la tige et aux feuilles rugueuses et velues. Certaines échinacées auraient des vertus médicinales.

Effet secondaire

Effet prévisible d'un médicament, autre que celui pour lequel il est administré. Cet effet peut être négatif lorsqu'il limite l'utilisation du médicament ou positif lorsqu'il corrige un autre problème.

Embryonné

Se dit d'un œuf qui a été fécondé.

Émergence

Apparition d'un organe, d'un caractère ou d'un type génétique nouveau dans l'évolution d'une espèce.

Enzyme

Substance protéique qui catalyse, accélère une réaction biochimique.

Épidémie

Augmentation exceptionnellement rapide du nombre de cas d'une maladie transmissible dans une collectivité ou une région pendant un temps limité. Dans le cas d'une maladie qui n'existe normalement pas dans une région ou une collectivité, une épidémie se produit lors de l'apparition subite d'un nombre plus ou moins élevé de cas. Pour une maladie qui existe habituellement à l'état endémique, c'est-à-dire qui sévit de façon constante ou périodique, on parle d'épidémie quand une augmentation du nombre de cas se produit dans une population ou un territoire.

Épidémiologique

Qui se rapporte à la répartition, à la fréquence et à la gravité des cas de maladies transmissibles.

Épiglotte

Structure faite de cartilage et recouverte de muqueuse située dans le larynx à proximité des cordes vocales, dont le rôle est de protéger la trachée lors de la déglutition et d'empêcher la nourriture de se diriger dans la trachée.

Épizootie

Augmentation et propagation exceptionnellement rapides du nombre d'animaux d'une même espèce ou d'espèces différentes qui ont contracté une maladie transmissible dans un territoire spécifique et pendant un temps limité. En d'autres termes, il s'agit d'une épidémie chez les animaux.

Éradiquer

Supprimer une maladie de manière définitive.

Éruption cutanée

Apparition de lésions sur la peau.

Espèce

Catégorie principale de la taxinomie (classification des êtres vivants) qui regroupe des individus semblables qui peuvent se reproduire entre eux.

Essai clinique

Expérimentation effectuée sur des volontaires humains dont l'objectif est de démontrer l'innocuité et l'efficacité d'un médicament par rapport à l'absence de traitement ou par rapport aux traitements habituels, conformément à un protocole rigoureux, afin de traiter, guérir ou prévenir une maladie.

Évoluer

Se modifier, se transformer, étape par étape, en accumulant les mutations.

Extrapolation

Estimation ou calcul des valeurs d'une variable en dehors des valeurs observées. Les valeurs observées permettent donc d'estimer d'autres valeurs pour une plus grande population, par exemple.

Expectorant

Qualifie ou désigne un médicament qui facilite l'expectoration, soit le rejet par la bouche de sécrétions provenant des poumons.

Fibrose kystique

Maladie héréditaire caractérisée par la sécrétion abondante d'un mucus très visqueux qui bloque les conduits du système respiratoire et qui prédispose la personne malade à des infections respiratoires mortelles.

Gargariser

Se rincer la bouche et la gorge avec un liquide médicamenteux sans l'avaler.

Gélule

Capsule à enveloppe dure de forme cylindrique en gélatine facile à digérer. Elle est constituée de deux parties qui s'emboîtent l'une dans l'autre et elle contient un médicament.

Génétique

Définit ou se rapporte à la science de l'hérédité chez les êtres vivants.

Génétiquement

Du point de vue de l'hérédité et des gènes.

Génome

Totalité du matériel génétique que porte un organisme.

Glissement antigénique

Mutation génétique mineure dans les gènes qui codent pour les antigènes (hémagglutinine et neuraminidase) du virus de la grippe. C'est le glissement antigénique qui est la cause des épidémies saisonnières de grippe.

Globule rouge

Cellule du sang dépourvue de noyau et ayant la forme d'un disque biconcave. Elle a pour fonctions de contenir l'hémoglobine et de transporter l'oxygène et le gaz carbonique dans tout l'organisme.

Guide alimentaire canadien

Publication de Santé Canada qui est conçue pour aider les Canadiens à faire des choix avisés en matière d'alimentation. Il convertit la science de la saine alimentation en un modèle pratique de choix alimentaires qui répond aux besoins de chacun en éléments nutritifs, qui favorise la santé et réduit le risque de maladies chroniques liées à la nutrition.

Hémagglutinine

Protéine se situant à la surface du virus de la grippe, au travers de sa membrane. Sa fonction est de se fixer à une autre molécule à la surface des cellules du système respiratoire pour permettre au virus d'entrer dans les cellules. C'est aussi grâce à cette molécule que l'organisme identifie le virus de la grippe.

Hémoglobine

Protéine qui a pour fonction de transporter l'oxygène des poumons aux cellules et le dioxyde de carbone des cellules aux poumons. Elle se situe dans les globules rouges et elle est responsable de la coloration rouge du sang.

Hérédité

Ensemble des phénomènes qui permettent la transmission, d'une génération à l'autre, des structures (génome) qui déterminent les caractères d'un organisme.

Histamine

Protéine que l'on trouve dans certaines cellules du système immunitaire. Une fois libérée, elle cause des réactions allergiques telles que la dilatation des petits vaisseaux sanguins et une contraction des muscles lisses.

Homéopathie

Méthode thérapeutique qui consiste à traiter les maladies en utilisant des doses extrêmement petites de substances susceptibles, à plus fortes doses, de produire chez une personne saine des symptômes semblables à ceux de la maladie à combattre, et ce, dans le but de stimuler les réactions de défense de l'organisme.

Homologation

Reconnaissance de la conformité d'un produit par rapport à une norme officielle ; délivrée par un organisme accrédité.

Hôte

Organisme qui, dans les conditions naturelles, entretient ou héberge un agent infectieux, un parasite.

Immuniser

Rendre résistant à une maladie donnée, la plupart du temps grâce aux anticorps (immunité humorale) ou grâce aux cellules (immunité cellulaire).

Immunité

Propriété que possède un organisme de se défendre contre un agent pathogène, contre une maladie.

Infectieux

Se dit d'un micro-organisme qui produit l'infection ou qui est capable de la transmettre.

Infection

Pénétration d'une bactérie, d'un virus, d'un champignon ou d'un parasite dans un organisme où il est capable de se multiplier.

Infection secondaire

Infection par un micro-organisme différent chez un patient déjà atteint d'une autre maladie infectieuse.

Inhibiteur

Molécule capable de diminuer ou d'empêcher l'activité d'une protéine.

Inoculer

Introduire une culture de bactéries ou de virus dans un nouveau milieu nutritif.

Insuffisance

État déficitaire d'un organe, qui devient incapable de remplir toutes les fonctions qu'il doit accomplir.

Insuline

Protéine messagère sécrétée par le pancréas pour donner le signal aux cellules de laisser entrer les molécules de glucose. Le diabète est causé par des problèmes de production ou de réception de l'insuline.

In vitro

Se dit d'un fait, d'une expérience ou d'une réaction chimique qui sont reproduits dans un milieu artificiel, en laboratoire.

Lésion

Altération de la structure d'une cellule, d'un tissu ou d'un organe qui est due à un traumatisme ou à une maladie.

Lobe

Portion nettement distincte d'un organe, soit par sa forme, la répartition de ses vaisseaux sanguins ou son mode de fonctionnement.

Lymphocyte B

Globule blanc, cellule du système immunitaire, qui a pour fonction de produire les anticorps.

Lymphocyte T

Globule blanc, cellule du système immunitaire, qui a plusieurs fonctions, dont l'élimination des cellules infectées et la régulation du système immunitaire.

Maladie génétique

Maladie causée par une mutation dans le bagage génétique et qui est transmissible de génération en génération.

Malnutrition

Maladie générale ou spécifique causée par la sous-alimentation, la suralimentation, le déséquilibre alimentaire ou des carences en certains nutriments.

Membrane cellulaire

Membrane qui entoure les cellules. Elle est l'intermédiaire entre l'extérieur et l'intérieur de la cellule. Elle laisse passer sélectivement certaines substances, telles que les molécules responsables de la réception et de la transmission de messages ou des électrons, entre autres.

Mémoire immunitaire

Banque de lymphocytes B spécialisés capables de produire des anticorps pour combattre chaque maladie qui a déjà affecté une personne.

Métabolique

Qui se rapporte au métabolisme, à toutes les réactions chimiques qui ont lieu dans un organisme vivant.

Méthodologie

Manière de faire, protocole composé des règles et des conditions de déroulement d'une expérience.

Micro-organisme

Organisme vivant, invisible à l'œil nu, comme des algues, des champignons, des bactéries ou des virus.

Minéraux

Éléments inorganiques nécessaires au métabolisme, comme le calcium, le phosphore, le chlore, le sodium, le potassium, le cobalt, l'iode, le manganèse, le cuivre et le zinc.

Molécule

La plus petite partie d'un élément composé, formée d'atomes associés.

Mucus

Substance claire et produisant des fils entre les doigts, sécrétée par des glandes muqueuses. Il protège les muqueuses qu'il recouvre, mécaniquement et chimiquement.

Muqueuse

Tissu mou qui recouvre les organes creux exposés à l'environnement externe comme le vagin, l'estomac, l'intestin, le nez et la bouche.

Mutant

Qualifie ou définit un gène, un caractère, un individu ou une population qui a subi une mutation.

Mutation

Modification soudaine et transmissible, spontanée ou provoquée, de l'agencement des bases composant le patrimoine héréditaire.

Muter

Subir une mutation.

Neuraminidase

Protéine se situant à la surface du virus de la grippe, au travers de sa membrane. Sa fonction est de permettre aux virus nouvellement fabriqués de se détacher de la cellule infectée pour en infecter une autre. C'est aussi grâce à cette molécule que le l'organisme identifie le virus de la grippe.

Non-soi

Organisme, cellule ou protéine reconnus par un organisme comme étant étrangers, ne faisant pas partie de l'organisme.

Noyau

Partie de la cellule contenant le génome. Il est souvent rond et il est entouré du cytoplasme de la cellule. Plusieurs échanges ont lieu entre le noyau et le cytoplasme.

Œsophage

Conduit appartenant au tube digestif se situant entre le pharynx et l'estomac. Il conduit la nourriture jusqu'à l'estomac par une série de contractions de ses parois.

Oreillons

Maladie infectieuse contagieuse caractérisée par le gonflement simultané ou successif de certaines glandes, comme les glandes salivaires, auquel s'ajoutent la fièvre, l'enflure douloureuse de la gorge et la mastication difficile. C'est un virus qui cause les oreillons. La maladie peut qui être prévenue grâce à un vaccin.

Organique

Se dit d'une molécule qui contient un ou des atomes de carbone et qui fait ou faisait partie d'un organisme vivant.

Organisme

Entité individualisée et autonome qui peut se reproduire.

Oseltamivir

Médicament antiviral contre la grippe qui parvient à inhiber la fonction de la neuraminidase. En rendant les virus de la grippe moins efficaces, le médicament abrège la durée de la grippe et diminue l'intensité des symptômes.

Oxygène

Atome formant des liens avec divers autres atomes, comme le carbone et l'hydrogène. Lorsqu'il forme un lien avec lui-même, il devient un gaz incolore et inodore qui constitue environ 20 % de l'air que nous respirons. L'oxygène est un élément essentiel à la vie.

Pancréas

Glande volumineuse située derrière l'estomac, contre la colonne vertébrale. C'est le pancréas qui sécrète les sucs pancréatiques et l'insuline qui donne le signal aux cellules d'autoriser l'entrée du glucose.

Pandémie

Épidémie qui s'étend au-delà des frontières nationales, soit à un continent, à un hémisphère ou au monde entier, et qui peut toucher un très grand nombre de personnes.

Paralysie

Perte totale de force et de mouvement musculaire habituellement accompagnée de spasmes et pouvant atteindre en totalité ou partiellement diverses parties du corps.

Pasteurisation

Chauffage d'un aliment, en général liquide, pour détruire la plupart des micro-organismes qu'il contient, surtout les micro-organismes pathogènes, qui peuvent causer des maladies.

Pathologie

Définit les maladies caractérisées par des symptômes ou la science qui étudie les maladies.

Pathogène

Qui peut causer une maladie.

Placebo

Substance inactive qui a l'apparence d'un médicament (pilules, sirops, crèmes, gélules, etc.). Un placebo est prescrit à des fins psychothérapiques ou pour mesurer, lors d'essais cliniques, l'action réelle d'un médicament actif.

Pneumocoque

Bactérie en forme de coque allongée, responsable de la pneumonie, de la méningite et de l'otite.

Pneumonie

Maladie bactérienne aiguë des poumons liée à la localisation d'une bactérie directement dans le poumon. La maladie cause une inflammation des alvéoles pulmonaires.

Poliomyélite

Maladie infectieuse du système nerveux central due à une infection par un poliovirus provoquant parfois une paralysie des membres.

Prélèvement

Séparer de son milieu naturel un fragment de tissu, un produit de sécrétion ou d'excrétion à des fins d'examen pour découvrir ou confirmer la présence de bactéries, de virus ou de maladies.

Proliférer

Se reproduire en grand nombre et rapidement.

Promiscuité

Situation de proximité qui provoque un malaise, un inconfort ou qui est perçue comme amorale.

Propagation

Augmentation, en grand nombre, d'organismes par la reproduction.

Prophylaxie

Ensemble des moyens destinés à prévenir l'apparition des maladies.

Protéines

Substances organiques complexes, contenant du carbone, de l'oxygène, de l'hydrogène et de l'azote, qui entrent dans la constitution de la matière vivante. Elles sont constituées d'agencement de sous-unités, les acides aminés.

Pus

Sécrétion liquide plus ou moins épaisse et opaque, de couleur variée et parfois nauséabonde et d'origine inflammatoire, secondaire à une infection, contenant à la fois des cellules du système immunitaire, des débris cellulaires et des fluides tissulaires.

Quarantaine

Isolement ordonné par les autorités sanitaires à un individu malade ou potentiellement infecté afin de protéger les individus sains et les zones non contaminées d'un territoire donné contre la transmission d'agents biologiques pathogènes qui constituent une menace pour la santé animale et humaine.

Recombinant

Définit ou qualifie un individu, un organisme, une cellule ou une molécule dont une partie du bagage génétique est issue d'une recombinaison naturelle ou expérimentale.

Résistance

Faculté des micro-organismes de survivre et de se reproduire, même en présence d'une substance qui devrait les en empêcher. Cette résistance peut se développer à cause de l'exposition à cette substance.

Résurgence

Nouvelle manifestation après une disparition ou un oubli durables.

Rougeole

Maladie infectieuse et contagieuse, généralement bénigne, causée par un virus. Après une période d'incubation de 10 jours, le malade souffre d'une forte fièvre, de congestion nasale, de conjonctivite et de toux. De petites taches blanches se développent à l'intérieur des joues et des taches rouges apparaissent sur le visage, puis sur tout le corps.

Rubéole

Maladie infectieuse et contagieuse, généralement bénigne, causée par un virus. Après une période d'incubation de 10 jours, le malade a de la fièvre, ses ganglions sont enflés et des taches rosées apparaissent sur tout le corps.

Sélection naturelle

Action sélective d'un milieu qui élimine les individus les moins aptes à y survivre ou à s'y reproduire. C'est par différentes pressions environnementales que le milieu sélectionne certains individus.

Sevrage

Privation de médicaments, de drogue ou d'alcool lors de la désintoxication d'une personne dépendante.

Souche

Ensemble d'organismes d'une même espèce ayant en commun des caractères particuliers qui suffisent pour les distinguer des autres représentants de cette espèce, mais pas assez pour que l'on puisse considérer qu'ils constituent une nouvelle espèce.

Surinfection

Infection par un micro-organisme différent survenant chez une personne déjà atteinte d'une autre maladie infectieuse.

Symptôme

Signe spécifique d'une maladie, d'une lésion ou d'un mauvais fonctionnement que ressent la personne malade et qui permet d'établir un diagnostic.

Syndrome

Regroupement de symptômes et de signes associés à une maladie ou à plusieurs maladies. Traditionnellement, le syndrome se distingue de la maladie par son absence de cause spécifique.

Syndrome de Guillain-Barré

Maladie aiguë des nerfs caractérisée par une détérioration rapide et progressive de la fonction motrice et une faiblesse musculaire, et dont l'évolution aboutit habituellement à une guérison sans séquelles.

Syndrome de Reye

Maladie infantile aiguë du cerveau avec infiltration de liquide dans le cerveau qui est liée à une infection virale et qui peut être fatale.

Tétanos

Maladie infectieuse grave causée par une bactérie qui provient de la terre et qui pénètre dans l'organisme à travers une plaie souillée. La personne malade souffre de contractions prolongées et involontaires de la mâchoire d'abord, puis du visage, de la nuque, du tronc et des membres, associées à une forte fièvre, à une accélération du rythme cardiaque, à de l'épuisement et à de l'asphyxie.

Thérapeutique

Qui possède des propriétés susceptibles de guérir une maladie.

Transmission

Propagation d'un micro-organisme pathogène dans un autre organisme.

Vaccin

Préparation qui permet à un organisme de concevoir une immunité contre certaines maladies bactériennes, virales ou parasitaires.

Vaccine

Maladie et virus qui cause cette maladie chez des bovidés et que l'on utilise pour vacciner les humains contre la variole. La vaccine est considérée comme l'équivalent de la variole de l'homme.

Variole

Maladie infectieuse et contagieuse grave causée par un virus. Après une période d'incubation de 8 à 14 jours, les personnes atteintes souffrent d'une forte fièvre, de maux de tête, de douleurs, de vomissements, d'une éruption cutanée et de croûtes. En 1980, l'Organisation mondiale de la santé a proclamé l'éradication de la variole, car aucun cas de cette maladie n'avait été déclaré depuis 1977.

Vecteur

Organisme qui sert d'hôte à un micro-organisme pathogène et qui est susceptible de le transmettre à un autre organisme.

Viral

Qui se rapporte aux virus.

Virulent

Se dit d'un micro-organisme capable de s'introduire dans un organisme hôte, de s'y multiplier et d'y provoquer une maladie.

Virus

Micro-organisme infectieux rudimentaire contenant un génome constitué d'ADN ou d'ARN, qui utilise, pour se reproduire, les matériaux de la cellule qu'il parasite.

Vitamines

Substances existant dans certains aliments et indispensables à la croissance et au maintien de l'équilibre vital. En cas de carence, une maladie apparaîtra, car l'organisme ne parvient pas à produire de ces molécules.

Zanamivir

Médicament antiviral contre la grippe qui parvient à inhiber la fonction de la neuraminidase. En rendant les virus de la grippe moins efficaces, le médicament abrège la durée de la grippe et diminue l'intensité des symptômes.

Réponses au quiz de la page 105

1. Faux

Si vous êtes exposé à une souche de la grippe que votre organisme n'a jamais combattue, vous serez malade. L'intensité de vos symptômes dépendra toutefois de la force de votre système immunitaire, de votre état de santé et de la virulence de la souche qui vous affecte.

2. Faux

Le vaccin ne contient que des virus inactivés qui sont incapables d'infecter et de causer la grippe.

3. Faux

Tout le monde devrait se faire vacciner. Au Québec, on administre le vaccin gratuitement aux personnes de 60 ans et plus, aux enfants de 6 à 23 mois, à leurs parents et aux personnes qui s'en occupent, aux adultes et aux enfants qui souffrent de maladies chroniques et à leur entourage, aux employés et aux résidants d'établissements de santé ou de centres d'hébergement.

4. Faux

Il faut se faire vacciner chaque année, car le vaccin contient seulement trois souches, soit celles qui ont le plus de chances de vous infecter cette année-là. La composition du vaccin change chaque année.

5. Vrai

Les antiviraux permettent de diminuer l'intensité et la durée d'une grippe due à une souche de type A ou B s'ils sont pris moins de 36 heures après le début des symptômes. Les antiviraux sont les seuls médicaments dont l'efficacité à agir sur la grippe a été prouvée.

6. Vrai

Même si les conditions qui peuvent mener à une pandémie sont limitées, le virus de la grippe peut toujours muter selon un scénario qui nous est inconnu.

7. Vrai

Ce sont la toux et les éternuements qui propagent les virus de la grippe dans l'environnement. Si la fièvre a également disparu, c'est que l'organisme a pris le dessus sur l'infection ; les risques de contagion sont alors très faibles.

8. Faux

La grippe peut prendre plus de sept jours à guérir. Le médecin prescrira des antibiotiques si vous présentez des signes de surinfection, comme une deuxième poussée de fièvre dans les 4 à 14 jours et d'autres symptômes selon le site de l'infection.

9. Faux

Pour attraper la grippe, il faut être en contact avec un virus. Si vous avez froid, mais que vous n'êtes pas en contact avec un virus, vous n'aurez pas la grippe. La saison de la grippe est l'hiver parce que le fait de vivre tout le temps à l'intérieur augmente la proximité entre les gens et assèche les voies respiratoires.

10. Faux

Lors des pandémies de grippe, la souche qui se propage est extrêmement virulente et peut entraîner de l'insuffisance respiratoire et la mort, même chez les jeunes.

Pour plus d'info

Pandémie Québec
www.pandemiequebec.ca

Site du ministère de la Santé et des Services sociaux du Québec qui permet de tout savoir au sujet d'une éventuelle pandémie de grippe au Québec, au Canada et dans le monde. On peut suivre l'actualité et connaître les mesures à prendre compte tenu de l'état de la situation.

Collège des médecins du Québec
www.cmq.org

Le Collège des médecins du Québec est un ordre professionnel dont la mission est de promouvoir une médecine de qualité pour protéger le public et contribuer à améliorer la santé des Québécois. Le comité de discipline du Collège des médecins du Québec a le pouvoir de sanctionner les médecins fautifs. Dans le site Internet, vous trouverez les publications du Collège des médecins du Québec sur différents sujets concernant la santé ainsi que des informations sur la profession et sur les médecins du Québec.

Institut national de santé publique du Québec
www.inspq.qc.ca

L'Institut national de santé publique du Québec (INSPQ) se veut le centre d'expertise et de référence en matière de santé publique au Québec. Son objectif est de faire progresser les connaissances et de proposer des stratégies et des actions intersectorielles susceptibles d'améliorer l'état de santé et de bien-être de la population. Dans le site Internet, vous trouverez de l'information à l'intention du grand public sur diverses questions de santé publique comme les maladies infectieuses, le tabagisme et l'alimentation.

Ministère de la Santé et des Services sociaux du Québec
www.msss.gouv.qc.ca

La mission du MSSS est de maintenir, améliorer et restaurer la santé et le bien-être des Québécois en rendant accessible un ensemble de services de santé et de services sociaux. Dans le site Internet, vous trouverez de l'information sur les problèmes de santé ou les problèmes sociaux, des statistiques et plusieurs publications.

Ministère de l'Agriculture, des Pêcheries et de l'Alimentation du Québec
www.mapaq.gouv.qc.ca/fr/accueil

La mission du MAPAQ est d'influencer et de soutenir l'essor de l'industrie bioalimentaire québécoise. Vous trouverez dans le site Internet des informations sur les normes dans l'industrie bioalimentaire, comme la protection des cultures, la qualité des aliments et la santé animale.

Santé Canada
www.hc-sc.gc.ca

Santé Canada est le ministère fédéral responsable d'aider les Canadiennes et les Canadiens à maintenir et à améliorer leur santé dans le respect des choix individuels et des circonstances. Dans le site Internet, vous trouverez beaucoup d'information sur l'alimentation, les maladies et les médicaments.

L'Agence de santé publique du Canada

www.phac-aspc.gc.ca

L'Agence de santé publique du Canada est un organisme gouvernemental fédéral qui a pour mission de promouvoir et de protéger la santé des Canadiens grâce au leadership, aux partenariats, à l'innovation et aux interventions en matière de santé publique. Ses priorités sont les mesures et les interventions d'urgence, la prévention et la surveillance des maladies infectieuses et chroniques ainsi que la prévention des blessures. Dans le site Internet, vous trouverez de l'information sur l'Agence, sur les maladies et les vaccins, sur les mesures d'urgence et sur la surveillance des maladies.

L'Agence canadienne d'inspection des aliments

www.inspection.gc.ca

L'Agence canadienne d'inspection des aliments protège l'approvisionnement alimentaire du Canada, les végétaux et les animaux dont dépendent la salubrité et la qualité des aliments. Son rôle est de faire respecter les normes établies par Santé Canada en ce qui concerne la salubrité et la qualité nutritive des aliments, d'établir des normes en matière de santé des animaux et de protection des végétaux, de veiller à leur application et de procéder à des inspections. Dans le site Internet, vous trouverez des renseignements quant aux normes en vigueur et de l'information sur la santé en lien avec l'alimentation.

L'Organisation mondiale de la santé

www.who.int

L'Organisation mondiale de la santé est un organisme de l'Organisation des Nations Unies qui a été fondé le 7 avril 1948. L'OMS a pour but d'amener tous les peuples au niveau de santé le plus élevé possible. La Constitution de l'OMS définit la santé comme un état de complet bien-être physique, mental et social. Par conséquent, la santé ne constitue pas seulement une absence de maladie ou d'infirmité.

L'Assemblée mondiale de la santé regroupe 192 États qui dirigent l'OMS. Tous les deux ans, les délégués représentant les États se réunissent à l'Assemblée pour s'entendre sur les grandes orientations politiques de l'OMS et pour approuver son programme et son budget. Dans le site Internet, vous trouverez de l'information sur une foule de sujets concernant la santé, dans une perspective mondiale.

L'Organisation mondiale de la santé animale
www.oie.int

L'Organisation mondiale de la santé animale est un organisme intergouvernemental créé par l'Arrangement international du 25 janvier 1924, signé par 28 pays. À cette époque, l'organisation portait le nom d'Office international des épizooties. C'est pourquoi le sigle de l'Organisation mondiale de la santé animale est toujours l'OIE. Aujourd'hui, l'OIE compte 167 pays membres.

Les pays membres de l'Organisation mondiale de la santé animale s'engagent à signaler la présence de maladies animales sur leur territoire. L'OIE a aussi pour missions de collecter, d'analyser et de diffuser l'information scientifique vétérinaire ainsi que d'apporter son expertise et de stimuler la solidarité internationale. Le site Internet de l'OIE vous en apprendra davantage sur l'organisme et sa mission.

Dans la même collection

Manger santé
Sous la supervision scientifique d'Isabelle Huot, nutritionniste, et du Dr François Melançon, médecin de famille.